O Pequeno Tirano

O Pequeno Tirano

Os limites de que a criança precisa

Jirina Prekop

Tradução
VERA BARKOW
Revisão da tradução
KARINA JANNINI

Martins Fontes
São Paulo 2003

Esta obra foi publicada originalmente em alemão com o título
DER KLEINE TYRANN por Kösel-Verlag, Munique.

1ª edição
julho de 1999
2ª tiragem
julho de 2003

Tradução
VERA BARKOW

Revisão da tradução
Karina Jannini
Revisão gráfica
Solange Martins
Ana Maria de Oliveira Mendes Barbosa
Produção gráfica
Geraldo Alves

Dados Internacionais de Catalogação na Publicação (CIP)
(Câmara Brasileira do Livro, SP, Brasil)

Prekop, Jirina
O pequeno tirano : os limites de que a criança precisa / Jirina Prekop ; tradução Vera Barkow ; revisão da tradução Karina Jannini. – São Paulo : Martins Fontes, 1999. – (Psicologia e pedagogia)

Título original: Der kleine Tyrann.
Bibliografia.
ISBN 85-336-1045-9

1. Agressividade em crianças 2. Crianças – Criação 3. Crianças – Distúrbios da personalidade 4. Crianças-problema 5. Pais e filhos 6. Psicologia infantil I. Título. II. Título: De que apoio as crianças precisam?. III. Série.

99-2145 CDD-155.418

Índices para catálogo sistemático:
1. Agressividade em crianças : Psicologia infantil 155.418
2. Crianças-problema : Comportamento pessoal-social : Psicologia infantil 155.418
3. Despotismo em crianças : Psicologia infantil 155.418

Rua Conselheiro Ramalho, 330/340 01325-000 São Paulo SP Brasil
Tel. (11) 3241.3677 Fax (11) 3105.6867
e-mail: info@martinsfontes.com.br http://www.martinsfontes.com.br

Índice

Prefácio à edição ampliada

No decorrer das várias edições, acabei desenvolvendo em relação a este livro um sentimento ambíguo. Como autora, evidentemente sinto-me recompensada por ter escrito um *best-seller*. Simultaneamente, todavia, tenho a amarga consciência de que o sucesso de vendas deste livro deve-se tão-somente à aflição das crianças e dos pais em questão. Infelizmente, essa aflição não tem fim. Cada vez mais encontramos crianças despóticas, rudemente agressivas. Para alguns, "o pequeno tirano" já se tornou um conceito clássico.

Quando o livro foi lançado no mercado, senti-me bastante ferida com as críticas contundentes, vindas principalmente de especialistas de linha antiautoritária e antipedagógica. Mas, ao mesmo tempo, fiquei agradecida por essa violenta oposição, pois ela deu início à discussão. *O pequeno tirano* teve o efeito de uma pedra jogada na água. Fez com que o fundo fosse revolvido e as camadas sobrepostas se agitassem. Dessa forma, o material putrefato pode ser retirado, o que é relevante assenta-se novamente e a água clareia. Esse processo de decantação deverá perdurar ainda por um longo tempo. Por isso, esse livro não necessita de procedimentos de reanimação. Continua atual.

A razão desta edição ampliada também não está no fato de que seria necessário corrigir algo fundamental. Continuo mantendo todas as representações e interpretações, tal qual apareceram na primeira edição – salvo uma exceção básica. Ela diz respeito ao modo como os pais deveriam ajudar a criança, na chamada fase da teimosia, a moldar sua agressividade crescente. Meu conselho de então era: "A criança deve, na medida do possível, lidar sozinha com sua teimosia." Hoje considero-o um erro. Devido às muitas boas experiências obtidas nesse ínterim com a terapia do abraço, posso atualmente assumir uma posição diferente.

A raiva desenvolvida pela criança de dois a três anos, com a dinâmica especial do ego que quer se impor, dirige-se contra objetos, contra a própria criança e também contra os pais. No primeiro caso, não seria errado proceder do modo como eu recomendava originalmente. Se a criança, por exemplo, tiver raiva da maçaneta da porta, por ser muito alta, e de si mesma, por não a alcançar, ela deverá aprender a suportar essa frustração. Deverá ter a experiência de poder resolver essa crise com suas próprias forças. Mas se sua raiva se dirigir à mãe ou ao pai, então ela deve ter a oportunidade de se confrontar com seu opositor. Deve expressar sua agressão face a face, mas também perceber o aborrecimento de seu oponente. Para que esse confronto seja favorável e para que o amor possa se renovar, um abraço seguro (isto é, segurar a criança com firmeza) ajuda muito. Assim que a criança amadurecer e puder expressar-se também verbalmente, poderá solucionar o conflito também sem contato físico.

Já apresentei uma descrição mais detalhada desse abraço na primeira edição deste livro, mas é necessário fazer alguns acréscimos. Nesse meio tempo, muitos pais desesperados praticaram o abraço de acordo com o livro. Alguns tiveram sucesso, outros, contudo, amedrontaram-se diante da explosão de seus próprios sentimentos passionais, até então refreados, e desistiram. Tal fato não provocou demais danos psíquicos na criança, mas esta obteve mais uma vez a prova de ser mais forte que os pais e que estes podem facilmente ser intimidados. Foi evidenciado que o abraço longo e insatisfatório de duas a quatro horas é uma conseqüência de diversas perturbações, que estão na origem da tirania da criança pequena. Em todos esses casos, o abraço de um leigo não foi suficiente, mostrou-se necessário auxílio profissional em forma de terapia do abraço. Sem a ajuda dos terapeutas, experientes nessa área, os pais dificilmente conseguiriam afirmar-se como pais, proporcionando à criança sua infantilidade despreocupada.

Uma das perturbações mais difundidas é o medo dos pais diante da expressão inequívoca de seus próprios sentimentos negativos. Essa *ambivalência de ordem passional*, o insuportável "nem-tampouco", impele a criança à rejeição dos pais e impede o confronto necessário. Observar esse problema mais de perto foi um motivo fundamental para esta edição ampliada.

Pela descoberta das complicações de efeito inconsciente no emaranhado das relações familiares, quero agradecer aos terapeutas familiares sistêmicos, especialmente a Bert Hellinger. Em um *workshop* do abraço, que preparei a seu pedido em 1990, abriu-seme um novo conhecimento de ordenações antiqüíssimas. Desde então, a terapia do abraço está estreitamente ligada à terapia familiar sistêmica. Em muitos casos, a origem da tirania torna-se evidente e passível de terapia apenas quando suas *raízes sistêmicas* são iluminadas. Pois, freqüentemente, a criança torna-se um déspota por defender inconscientemente alguém que lhe é íntimo e que foi expulso de sua família.

Ao escrever a quatro mãos os livros *Kinder sind Gäste, die nach dem Weg fragen* (Crianças são hóspedes que perguntam pelo caminho) e *Unruhige Kinder* (Crianças irrequietas), com Christel Schweizer, conscientizamo-nos de determinados *princípios condicionados criativamente*, cuja observância cuida do equilíbrio interior, enquanto sua não-observância conduz à destruição. O fenômeno do "pequeno tirano" oferece em troca uma amarga amostra. A solução está no retorno consciente (= "re-ligio") às leis da vida a nós colocadas.

Introdução

Num dia de verão, meu marido e eu passamos por duas experiências que se complementaram de maneira estranha e que me mostraram a necessidade de escrever este livro o mais rápido possível.

Não deveríamos ter-nos deixado iludir pelo esplêndido sol da manhã. Quando o barco de excursão deixou o porto de Lindau, um forte aguaceiro fez todos os passageiros desiludidos buscarem abrigo no restaurante, que lotou logo. Na mesa ao lado, um menino de uns cinco anos providenciou uma outra tempestade. Apesar do aborrecimento dos passageiros, que já estavam sendo servidos, o menino insistia em ficar de pé sobre a mesa, para ter uma melhor visão das ondas. A princípio, não deu a menor atenção ao pedido cortês de seus pais, para que descesse da mesa. Quando estes então tentaram tirá-lo da mesa, berrou com raiva, a plenos pulmões: "Vê se me larga, sua porca idiota", dando pontapés na barriga da mãe e mordendo o pai na mão. Esse espetáculo repetiu-se. O menino ficava cada vez mais furioso, os pais cada vez mais embaraçados e os passageiros cada vez mais aborrecidos. Decididos, os pais tiraram-no da mesa, o que provocou no menino um verdadeiro ataque de fúria. Fizeram-se ouvir então dos clientes mais próximos observações como: "Se esse fosse meu filho, receberia uma bela surra." Mortificados, os pais tentavam argumentar: "Já tentamos isso, mas só piorou tudo." Para os pais, havia agora duas possibilidades: ou saíam com a criança na chuva ou deixavam-na em pé sobre a mesa. Ambas as decisões, contudo, eram uma derrota dos pais. Encontravam-se numa armadilha. Ao sair, a mãe chorou baixinho.

Durante o passeio ao longo da margem, ofereceu-se-nos um quadro semelhante. Os cisnes e os patos conduziam seus filhotes enfileirados atrás de si, a fim de catar o pão jogado pelos turistas. Uma pata destacava-se das outras: tinha um único patinho e não o conduzia atrás de si, mas deixava-se conduzir por ele. O patinho nadava irrequieto por entre os barcos e bicava tudo, menos o pão. E a pata – como a mãe no barco – seguia seu filhote cabisbaixa e insegura.

"Na verdade, a mãe também deveria adoecer", opinou meu marido. "Um naufrágio para ambos." E conversamos a respeito de como é problemático quando o rebanho assume o comportamento doentio e apavorado do jovem animal, em vez de levá-lo a respeitar as leis do rebanho. Pois colocar essas leis em perigo pode significar a ruína de toda a família. Foi aí que compreendi que era chegado o momento de abordar o tema, embora a experiência científica ainda esteja dando os primeiros passos.

Pois cada vez mais deparo no consultório com estes pais, profundamente assustados por causa de seu "filho transformado em pesadelo": pais que se sentem espoliados e escravizados pelo próprio filho, embora criem uma liberdade para si próprios e para a criança e queiram viver segundo ela. Pais que se questionam enquanto educadores, por não atingirem seu filho nem por meio de um comportamento benevolente, nem por elogio ou censura. Pais que estão prestes a se arrepender de terem gerado um filho, e casais que, ao conviverem com tais crianças, reprimem seu desejo por filhos.

Entre esses pequenos tiranos, encontramos não apenas aqueles que dominam seu ambiente com seu comportamento extremamente agressivo, mas também aqueles que, sobrecarregados pelo próprio dever de serem tiranos, são incapazes de ter tais ataques de fúria. Preferem recuar, observam o cenário, à espreita, e recolhem-se internamente em seu "mundo insular", um mundo isolado, no qual os relacionamentos ainda são domináveis e as crianças criam dificuldades para si mesmas. Vejo também crianças que, num dado momento, foram despojadas de seu poder e que, por isso, são tristes e desnorteadas, sentem-se injustiçadas, entram em colapso e adoecem psicossomaticamente.

Essas crianças são infelizes e tornam-se prisioneiras de seu próprio poder. Estão em constante desassossego e totalmente isoladas. Embora possam receber tudo, não são capazes de dar nada. E assim escapa-lhes a vivência do amor, um amor que consiste numa relação equilibrada entre receber e dar.

Para essas crianças, e exatamente por causa de seus problemas, foi escrito este livro. Pois seu futuro seria triste, se não houvesse auxílio a tempo. Elas devem e precisam sentir-se bem neste mundo, se quiserem subsistir na batalha da vida. Não é dominando o ambiente que alcançarão esta meta, mas *apenas* por intermédio da aquisição de capacidades como saber esperar, saber adaptar-se, saber suportar derrotas, não ignorar o medo, mas vivenciá-lo e poder superá-lo, saber solidarizar-se. Em seu estado atual, essas crianças estão, contudo, predestinadas a um triste futuro. Elas próprias ainda não sabem que nunca serão livres enquanto forem dependentes do poder.

Pelas conversas com especialistas da área, concluo que não estou "pintando nenhum quadro pessimista" com minhas exposições, ao dar o alarme e ao ousar oferecer os primeiros socorros. Em todos os lugares, observa-se uma transformação impressionante nas perturbações infantis da personalidade, que se alastra de forma explosiva desde o início da década de 1980. Até essa época, entre as crianças-problema preponderavam as medrosas, as frustradas, os "sacos de pancada" e os "bodes expiatórios", que tentavam obter sua satisfação compensatória na satisfação extremamente oral (como roer unhas, bulimia etc.) e na agressão indireta (como mentir, furtar, brincar com fogo etc.). De acordo com o "pensamento" do diagnosticador, que estabelecia os parâmetros, essas crianças eram encaminhadas à orientação educacional, ao tratamento psicanalítico ou de terapia comportamental, ou ainda à terapia familiar.

Hoje, em vez disso, encontram-se em primeiro plano as perturbações de ordem destrutiva e agressiva, acompanhadas de insensibilidade, egoísmo e falta de consideração. Essas crianças parecem resistentes à educação e imunes à terapia. Não são poucos os especialistas experientes – psicólogos, professores ou pedagogos-terapeutas – que se colocam questões como:

será que perdi a capacidade profissional? Será que, por causa de minhas próprias projeções, estou sendo intolerante com essas crianças enérgicas? Será que não deveria voltar a praticar a educação antiautoritária? Será que por causa da rotina não possuo mais força de irradiação, estou cansado profissionalmente? E existem pediatras que duvidam de sua capacidade de convencer, ao se defrontar no consultório com as crianças "intratáveis", que não apenas não abrem a boca por nada neste mundo, mas que também rejeitam dietas vitais, até mesmo qualquer comida, e que preferem morrer de inanição a desistir de sua greve de fome por causa do pedido suplicante de seus pais. Parece que aqui está agindo não uma ira que faz com que as vontades sejam satisfeitas, mas uma raiva autodestrutiva.

Dirijo-me também a esses especialistas. Não quero libertá-los incondicionalmente de suas dúvidas, uma vez que estas nos conduzem ao diálogo e, conseqüentemente, ao progresso. Ao leitor especializado na área, que lerá a obra com olhar crítico, peço a compreensão por minha ousadia de apresentar uma hipótese para as causas de despotismo, bem como por minha suposição de que se trata, no mais restrito sentido da palavra, de um vício. Espero que, para o pesquisador, este livro seja uma fonte de outras pesquisas. Importa-me, primeiramente, iniciar uma discussão que gere mais compreensão pelas crianças e pelos pais atingidos.

No rasto das raízes da tirania

Quando comecei a me ocupar mais de perto com o tema "tirania", foram três as questões às quais me dediquei em especial:

- O que se esconde por trás desse imenso exercício de poder infantil?
- Onde foi ultrapassado o limite de uma medida sadia de poder?
- Pessoas tiranas sempre existiram, mas não nesse acúmulo desmesurado em crianças. O que aconteceu?

A oferta de literatura nessa área é restrita. Existem algumas obras de psicologia analítica sobre a relação entre despotismo e narcisismo, de Sigmund Freud e Heinz Kohut. Uma obra de Alfred Adler compara tirania e egotismo. Com o problema do poder, ocupa-se principalmente Hans Strotzka; também ele se queixa de que há poucas obras de orientação psicanalítica. Tenta explicar que são as vítimas dos poderosos, portanto os oprimidos, que fazem mais terapia: "É interessante notar que em nosso consultório aparece, peculiarmente, o círculo de pessoas 'contrário': os oprimidos, os pais, apresentam o opressor, a criança."

Aquilo que desejamos denominar "tirania" nada tem a ver com egotismo ou narcisismo. Se buscarmos as causas, parece haver uma relação com o atual estilo de vida tecnocrata. Voltarei detalhadamente a esse aspecto mais tarde.

Nas obras de vários pesquisadores, contudo, é possível encontrar pontos comuns: todos lançam uma ponte da psicanálise à sociologia da sociedade de rendimento industrial. Salientam a compreensão de doenças psíquicas, que eles vêem como conseqüência de um estranhamento da humanidade. "Desvendam" a dependência do poder como indicador do caminho para o mal. Como ajuda única e definitiva reconhecem, finalmente, o amor ativo.

Cito apenas alguns dentre muitos: Erich Fromm chama a atenção para a crescente dependência do homem moderno do "ter", que o impede de vivenciar o "ser". A traição do ego, Arno Gruen descreve em sua obra de mesmo título e apresenta o sofrimento de pacientes atuais. Estes identificam-se com o poder, transformam-no em sua imagem, refugiam-se em sentimentos errôneos, distanciando-se, assim, totalmente da vivência do amor e da própria autonomia.

Alexander Lowen acredita que o narcisismo de cada um é marcado pelo círculo cultural narcisista geral. Sentimentos verdadeiros não correspondem mais à imagem do homem, devendo, portanto, ser reprimidos. Assim, o homem atual concebe sua vida como vazia e sem sentido. Similarmente ao que ocorre na Europa ocidental, Lowen também constata, após quarenta anos de prática psicoterápica (bioenergética) nos Estados Unidos, uma modificação significativa: as neuroses de antigamente, como os sentimentos de culpa paralisantes, os temores, as fobias e obsessões, atualmente são raros. Em compensação, muito mais pessoas queixam-se em seu consultório de depressões e da perda de sentimentos.

O mensurável e o contável pesam bem mais que o ideável, e assim o ato de pensar e de sentir estão separados, distintos. Dá-se preferência à ciência técnica em detrimento do conhecimento do estado emocional do homem, não mensurável com precisão. Como conseqüência dessa ciência cartesiana, tem-se a construção da primeira bomba atômica antes de ter-se conhecimento, na pedagogia e na psiquiatria infantil, das necessidades de uma criança pequena.

De forma impressionante e crítica, o renomado psiquiatra infantil Reinhart Lempp, da cidade de Tübingen, apresenta, em sua obra *Família em revolução*, lançada recentemente, a evolução histórica de sua profissão. Foi apenas em meados do século XX que as pesquisas de René Spitz, John Bowlby, H. F. Harlow, entre outros, transformaram o reconhecimento e a compreensão da capacidade afetiva infantil e da vulnerabilidade psíquica da criança pequena. E vários anos passaram-se ainda até se reconhecer que também esse conhecimento necessitava de correção: hoje sabe-se que a criança já está receptiva ao contato com a mãe antes mesmo do nascimento.

Nesse meio tempo, surgiram obras de psicanalistas infantis de pensamento psicológico-evolutivo, por exemplo de Donald W. Winnicott e Margaret S. Mahler, que diagnosticaram a formação e a degeneração da onipotência na criança pequena em doenças psicóticas. Nos círculos de psicoterapeutas, essas pesquisas encontraram uma surpreendente receptividade. Infelizmente, dadas as formulações científicas, permaneceram em grande parte inacessíveis a pais e demais educadores infantis.

Na literatura alemã, a psicoterapeuta infantil Christa Meves reuniu os conhecimentos científicos de psicologia analítica, sociologia e etologia. Ela busca as raízes da imoderação descabida na abundância material saturada, no hedonismo moderno, que provoca o atrofiamento dos verdadeiros valores. Ela culpa principalmente a crescente atividade profissional das mães de lactentes. Estas oferecem a seu filho, em vez de amor e abnegação, matéria "mastigada" em forma de alimento preparado e, em vez de brinquedos, televisão. Agressões descontroladas, segundo ela, poderiam ser evitadas, se por um lado se deixasse a cargo da criança pequena a atividade e a iniciativa próprias para uma conquista de seu ambiente, livre de andadores e, por outro lado, se lhes fosse dada exatamente nessa época a chance de poder confrontar-se com barreiras, colocadas com bom senso. Mas é exatamente para esse confronto que as próprias mães de hoje não são suficientemente livres. Permitem tudo, sem barreiras e, dessa forma, não aliviam o impulso agressivo que busca a libertação, pelo contrário, permitem que ele cresça desmedidamente.

Estamos nos aproximando cada vez mais das raízes da tirania. Uma outra confirmação das teses que declaram a dependência do poder encontramos em Konrad Lorenz. Ele estuda o espaço vital da humanidade civilizada, cada vez mais devastado, sob os aspectos da psicologia comparada e da sociologia animal. Dentre oito pecados mortais da humanidade civilizada, responsabiliza principalmente a decadência hedionda do comportamento social, ancorado geneticamente, e a quebra das tradições. Chama a atenção para o fato de milhares de crianças serem transformadas em neuróticos infelizes pela educação da "não-frustração".

Uma criança que não consegue mais subordinar-se instintivamente ao mais forte na hierarquia sente-se desprotegida sem esse mais forte. Não consegue identificar-se com a fraqueza "escrava" que o aparentemente mais forte lhe apresenta e, conseqüentemente, não consegue orientar-se segundo suas normas comportamentais. "O indivíduo, marcado pela ausência de determinadas condutas comportamentais sociais e de seus sentimentos correspondentes, é de fato um pobre doente, que merece toda a nossa compaixão. A própria ausência é o mal em si. Não é apenas a negação e o retrocesso do processo criativo – através do qual o animal se transformou em homem –, mas também algo bem pior, monstruoso até. De algum modo misterioso, a perturbação do comportamento moral conduz não apenas à ausência de tudo aquilo que consideramos bom e ético, mas também a uma inimizade ativa contra esses sentimentos – e é exatamente este o fenômeno que faz com que muitas religiões creiam num inimigo e oponente de Deus. Se observarmos tudo isso atentamente, não poderemos contradizer um fiel que defende a opinião de que o Anticristo esteja à solta."[1]

---

1. K. Lorenz: *Die acht Sünden der Zivilisierten Menschheit*, Munique, [17]1984, p. 66.

Como pude reconhecer o problema da criança despótica

O fato de termos tido a oportunidade de ocupar-nos intensivamente com os casos de tirania, devemos, meus colaboradores e eu, às seguintes coincidências felizes de circunstâncias profissionais e temporais:

1. No âmbito de um trabalho longo e intenso com crianças autistas, pudemos observar que elas, quando estimuladas positivamente, chegavam a um patamar superior do desenvolvimento social. Nessa etapa, descobriam a alegria de criar vínculos com a mãe – e eventualmente também com outras pessoas de seu relacionamento – e esforçavam-se em tentar envolver a mãe nas opressões ainda existentes. Desde que a mãe permitisse isso, por alegrar-se pela disposição de contato despertada, ficasse feliz e não exigisse mais, a criança permanecia presa à etapa da autocracia, e a mãe tornava-se dominável.

2. Depois que o fato de nos ocuparmos com o diagnóstico do autismo tornou-se de conhecimento geral, foram-nos trazidas crianças de todas as regiões, que apresentavam comportamentos similares ao autismo, para um diagnóstico diferenciado. Pudemos constatar

que essas crianças não podiam ser enquadradas na conhecida síndrome do autismo infantil precoce. Possuíam uma disposição quase ilimitada de reivindicar todo o ambiente para si, sem quaisquer temores de modificação, como se fossem onipotentes.

3. Na mesma época, foram-nos trazidas muitas crianças de quatro a 24 meses, que reivindicavam total atenção de seus pais devido a suas perturbações de sono ou de alimentação, bem como à sua inquietação constante. Nessas crianças, constatamos a mesma etapa de desenvolvimento atingida pelos autistas. Portanto, pôde ser observada uma similaridade entre a autocracia e a onipotência obsessiva dessas crianças pequenas.

4. O "abraço" mostrou-se como estímulo para as crianças autistas rumo à etapa superior dos interesses sociais e como libertação do autismo, como terapia primária. O "abraço" é uma medida que adotei, após muito hesitar, mas com convicção crescente, da psiquiatra infantil americana Martha Welch e de Niko Tinbergen, laureado com o Prêmio Nobel, e que divulguei nos países de língua alemã. A fundamentação psicológico-evolutiva e ética do "abraço" aguçou minha intuição e minha compreensão das situações, nas quais não apenas o autismo mas também a tirania podem surgir e, conseqüentemente, a eficácia do ato de "abraçar".

(Já neste momento quero acentuar que o "abraço" não tem o sentido de reprimir a criança, nem de possuí-la, mas de transmitir-lhe a segurança e o amor incondicional que lhe dêem condições para se desenvolver rumo à libertação do próprio ego.)

Apresentação dos pequenos tiranos. Quatro representações de casos

Como introdução ao tema, apresento quatro casos típicos, que conheci em minha consulta de aconselhamento no departamento de perturbações do desenvolvimento, em uma clínica pediátrica.

Alexander

Apresentação do problema

O pediatra, com consultório na própria residência, envia-nos um menino de sete anos, que lhe é muito querido. O médico conhece a família há décadas. Já cuidou dos irmãos mais velhos, hoje com dezesseis e dezoito anos, e sabe que os pais se preocupam com uma educação adequada.

Alexander veio ao mundo como caçula não mais esperado, mas após o conhecimento da gravidez, foi muito desejado. Sempre foi uma criança alegre. Os pais acreditavam tê-lo educado com a mesma atitude lógico-amorosa como educaram seus irmãos mais velhos. O pai dedicava-se à sua pequena oficina, a mãe gostava de ser "apenas dona de casa", sempre presente para as crianças. A fase do jardim-de-infância passou aparentemente sem problemas, pois Alexander gostava de freqüentá-lo.

Uma crise irrompeu somente na época da escolarização. O menino podia não ser dos mais espertos para ler, escrever e calcular, mas também não ficava para trás. Na família, ninguém esperava mais dele, nem o pressionava para que tivesse um desempenho melhor. Provavelmente tudo tenha se dado pelo fato de a professora não gostar dele. Certa vez, ela o teria mandado sair do quadro-negro e sentar-se, o que foi um grande choque para Alexander. Desde então, negava-se a ir à escola, embora tivesse tido uma grande expectativa em relação a ela. Todas as tentativas de reconquistar sua vontade de ir à escola foram infrutíferas. Quando a professora tentou visitá-lo em sua casa, Alexander entrou em pânico, com um comportamento mesclado de pavor e ira, que se assemelhava a um ataque. A professora seria conhecida como uma "educadora à moda antiga": amável, porém severa. Com ela já acontecera um caso semelhante, mas não tão drástico como o de Alexander. Tratava-se de uma menina, aluna do primeiro ano, que se sentia acossada pela professora, e que simplesmente foi colocada numa classe paralela.

Alexander é muito sensível, temperamental e prende-se a uma profunda consciência de si mesmo. O pediatra suspeita antes de uma fobia à escola. Além disso, presume um dano cerebral mínimo no sentido de uma disfunção, pois Alexander tem problemas leves no tocante à orientação espacial, como direito e esquerdo. Talvez seja essa também a causa de sua morosidade na escrita. Pelos motivos citados, o pediatra não quer levar o menino ao órgão de aconselhamento educacional local, mas prefere deixar que seja orientado por nós, com eventual participação do diretor e do conselho da escola.

Apresentação da criança

À primeira vista, a família passa a impressão de ser sincera. Alexander parece ser comunicativo e gostar de contato com outras pessoas. À minha primeira pergunta: "O que você gostaria de ser no futuro?", responde prontamente: "Delegado de polícia ou chefe dos bombeiros." Ah sim, também quer casar, de preferência com uma mulher como a mamãe, só que mais magra. Quer ter filhos, mas só um, um menino. Sua casa deverá ser térrea, sem inquilinos, mas com cem guarda-costas. Desse jeito, seria melhor ter uma fortaleza. Se pudesse desejar uma montanha, teria de ser a maior do país, com um restaurante no topo, morangos e um elevador particular. Alexander pode ainda escolher um animal, no qual gostaria de se transformar. Sem hesitar, decide-se por um leão que conhece do circo e do qual todo mundo tem medo. A mamãe, o papai e os irmãos também são transformados em leões, só que precisam ser menores que ele – uma verdadeira família de leões.

Alexander não tem um amigo mais chegado. Prefere brincar com crianças bastante menores que ele ou então bem mais velhas. Os pais explicam seu comportamento ao brincar da seguinte maneira: "Alexander gosta de ajudar os mais novos e se dá muito bem ao brincar com eles. Dos mais velhos aprende bastante e quer se igualar ao seu comportamento. Não há nada de errado com isso, certo? Há um menino da mesma idade na vizinhança, mas não se dá com ele de jeito nenhum, os dois são como cão e gato. Alexander não consegue impor-lhe suas idéias de brincadeiras."

Continuo perguntando e quero saber como, de modo geral, Alexander consegue adaptar-se a uma outra pessoa quando as coisas não ocorrem segundo suas expectativas, e se sabe obedecer. Os pais respondem: "Oh, sim, sabe obedecer, quando quer." Insisto: "E o que acontece, quando não tem vontade?" "Bem, não obedece. É um verdadeiro paxá. Eu, como mãe, às vezes me sinto sua camareira e cozinheira da corte. Não come verduras. Das frutas, apenas banana. Maçãs, apenas como compota, e carne, só bife à milanesa."

À minha pergunta, se sabe fazer carinho, a mãe responde: "E como! É um beijoqueiro." Somente quando pergunto o que acontece quando a iniciativa do carinho não parte dele, mas da mãe – uma vez que o amor é um dar e receber mútuo –, a mãe fica muito pensativa e seu rosto adquire uma expressão tristonha: "Bem, ele vem e vai quando quer. Não tenho nenhuma influência."

Continuo querendo saber como o menino brinca. Os pais relatam que prefere brincar sozinho, com lego e carrinhos, pois gosta muito de coisas técnicas. Na verdade, não tem muita parada e é um verdadeiro azougue, que precisa estar sempre em movimento. O pai acha que é um moleque, como ele mesmo já foi, só que os tempos são outros. A liberdade que podem dar ao filho hoje, o pai não a teve naquele tempo.

Esclarecimento dos antecedentes e do distúrbio do desenvolvimento do ponto de vista da psicologia

A análise dos antecedentes tem como resultado que, após um parto difícil, Alexander foi colocado numa tenda de oxigênio, e um *rooming-in* quase não pôde ser utilizado devido à fraqueza da mãe. Até o nono mês, foi uma criança calma e fácil de cuidar. Então surgiram os distúrbios do sono e da alimentação, bem como a inquietação. Nesse momento do relato, os pais sentem novamente o temor de um possível dano cerebral leve. Continuam a relatar: De dez a quinze vezes por noite, Alexander pedia a mamadeira, a mesma que sempre recusava durante o dia. Não foi possível fazê-lo adaptar-se a alimentos sólidos na época adequada.

Na realidade, Alexander nunca passou por uma fase de estranheza. E a fase da birra dura até hoje, quando não consegue impor sua vontade. No jardim-de-infância, não conseguia se adaptar às outras crianças. Em compensação, conquistou com seu charme a professora, tornando-se seu grande ajudante. Tentou o mesmo comportamento na escola, mas decepcionou-se amargamente. De repente, constatou que era um entre muitos e que, mesmo não tendo vontade, tinha de ficar sentado em sua cadeira e se concentrar. Além disso, sentiu nitidamente que não conseguia escrever tão rapidamente quanto os outros, o que o deixou cada vez mais nervoso.

Exames médicos e psicológicos, como EEG e testes da integração sensório-motora e da inteligência, confirmaram a suspeita do pediatra. Foi possível constatar uma disfunção extremamente leve na coordenação do movimento, que exercia influência negativa sobre a maneira de segurar o lápis e a velocidade ao escrever. Com essa pequena perturbação, muitas crianças e adultos devem conformar-se em suas vidas. Um dos auxílios mais comprovados no caso desse problema é esforçar-se ainda mais para superar essa fraqueza com dedicação e outros esforços.

Mas foi justamente esse auxílio que Alexander não conseguiu pôr em prática. Pelo contrário, ficava cada vez mais nervoso e tentava colocar-se no centro das atenções com conversas petulantes e com palhaçadas, a fim de satisfazer sua forte necessidade de aparecer. E foi assim que se deu aquele episódio dramático com o quadro-negro, retomado em nossa consulta:

A professora escrevia algo na lousa. De repente, Alexander correu até ela, berrando: "Como você se atreve a escrever no quadro todo, uma das metades é minha." Como um raio, limpou uma metade da lousa. Calmamente a professora mandou-o de volta a seu lugar. Alexander foi se exaltando cada vez mais em sua ira e gritou: "Não saio daqui, você é que tem de sair, já." Ao perceber que a professora ficou parada, sorrindo com certo espanto – e para piorar as coisas, também seus colegas de classe começaram a rir –, Alexander correu para o corredor. Lá, bateu com os punhos na parede de um armário e continuou a gritar: "Ela precisa ir embora, ela precisa ir embora!" De todas as classes vieram correndo professores e alunos. Tentaram consolar o pobre menino, levando-o por fim para casa. E assim, a suspeita de uma fobia de escola foi diagnosticada.

Luisa

Apresentação do problema

A médica da enfermaria do departamento de medicina interna em nossa clínica pede-me para ajudá-la num caso grave. Em sua enfermaria está uma menina de dois anos e meio, filha única de uma família de imigrantes italianos, que recusa toda e qualquer ingestão de alimento. Encontra-se já em estado de desnutrição e desidratação, devendo ser alimentada por sonda. Apesar de terem sido feitos exames minuciosos, não foi constatada nenhuma causa orgânica para a rejeição a alimentos. A médica suspeita e espera que haja uma causa psíquica, provavelmente ligada a uma viagem à pátria, a Sicília.

Apresentação da criança

A menina é de uma beleza fora do comum. Seu rosto tem uma expressão séria e inteligente. Grandes olhos tristes e escuros nos observam, como se ela tivesse perdido sua infantilidade. Luisa se comporta como se nada entendesse, embora os pais relatem que sua compreensão lingüística está adequada à sua idade. Há poucos dias, ainda falava frases inteiras para expressar seus desejos, para comentar suas ações e as dos outros e para fazer perguntas, cuja resposta já lhe era familiar. Hoje não fala mais.

Com sua garrulice, Luisa fazia os pais e amigos rirem. Ela parecia segura e não era tímida perante os estranhos. Ainda não falava de si mesma como "eu", mas de Luisa, ou utilizava infinitivos, por exemplo, “beber totolate”, “dandar tarro”. Ela testava as pessoas para ver se reagiam às suas perguntas e de que forma, e também para ver se a entendiam. O comportamento de Luisa era semelhante ao dos reis e ao dos chefes de polícia.

Segundo o relato dos pais, Luisa é uma menina corajosa, sem noção de perigo. Desde pequena, sempre se comportou como se o mundo lhe pertencesse. Nunca precisou de uma chupeta, nem para dormir. Quanto à fase da birra, os pais achavam que ela não precisou dela, pois sempre conseguiu impor-se.

Após o nascimento, Luisa gritava sempre que o *rooming-in* era interrompido à noite e os bebês eram levados ao berçário. Em casa, a mãe tentou posteriormente compensar a falta e suprir o amor que lhe fora negado. Passou horas com Luisa no colo. Não durou muito para que o bebê, voluntarioso, determinasse como e por quanto tempo queria ser carregado. Não deixava mais a mãe em paz. Esta ficava aliviada quando era substituída pelo marido ou pela sogra. Mas estes também eram comandados pela menina. Quando aprendeu a andar, Luisa determinava quanto tempo queria ficar no colo dos pais e se queria ou não ser conduzida pela mão. Gostava de trocar carinhos, mas por pouco tempo. Aos dois anos, não deu trabalho para deixar as fraldas, mas também desta vez determinou onde satisfaria suas necessidades fisiológicas. Não usava nem o vaso sanitário, nem o urinol, mas obrigava os pais a estenderem num canto da sala uma fralda para que evacuasse.

Luisa era uma criança alegre, sempre em movimento, e considerada pelos pais, pelos parentes e pela pediatra uma criança precoce.

Esclarecimento dos antecedentes e do distúrbio do desenvolvimento do ponto de vista da psicologia

Então aconteceu a viagem fatídica. Era a primeira vez que os pais viajavam com Luisa para a casa dos avós maternos, na Sicília. Em poucos dias, Luisa passou por uma total transformação do seu modo de ser, e tudo aquilo que já sabia fazer, deixou de saber. Os pais não se recriminavam, pois nunca haviam deixado Luisa sozinha na casa.

Tentamos reconstruir aquilo que ocorreu no local. Muita coisa podemos apenas supor. Durante a situação crítica e a apresentação, Luisa deixou de falar. Ao entrar pela primeira vez na casa dos avós, a menina parecia aterrorizada. Sentiu falta de seu reino na Alemanha. Aqui, tudo, mas tudo mesmo, era diferente: os móveis, as pessoas, a comida, os cheiros. Nada mais estava em seu lugar de costume. Não havia sala e, portanto, não havia mais canto da sala com a "privada de fraldas". Provavelmente em decorrência de uma necessidade de conquistar o novo território à sua maneira, arrancou com os dentes, para começar, todos os botões das flores e "varreu", em seguida, os vasos de flores do peitoril das janelas. Ao mostrarem que não aprovaram seu comportamento e ao ralharem com ela, Luisa ficou ofendida e parou de falar. Falava apenas consigo mesma. Não queria mais receber nenhum carinho dos pais e não permitia que lhe dessem de comer. Na manhã seguinte, pareceu acordar de bom humor. Mas correu outra vez inquieta pela casa e, por um descuido, uma das primas prendeu-lhe um dedo ao fechar a porta, machucando-o. Apesar de toda a imediata dedicação amorosa e consoladora dos pais,

Luisa ficou inconsolável. Desde então, além de não falar e não comer, recusou-se também a beber.

Para ajudar a menina a sair do choque através do retorno ao ambiente familiar e da consulta a médicos alemães conhecidos, os pais retornaram imediatamente para a Alemanha. Luisa continuou persistente em sua recusa.

Já durante a primeira apresentação, foi possível ganhar Luisa aos poucos para a alimentação. O apetite retornou em tempo relativamente curto, mas a reabilitação de suas forças psíquicas ocorreu por intermédio de um caminho penoso, que durou mais de dois anos. Embora a família tivesse um acompanhamento terapêutico, e a menina, um tratamento terapêutico-pedagógico ambulatorial (à base de terapia comportamental), com exceção de algumas poucas palavras balbuciadas sem sentido, a linguagem só foi recuperada um ano depois. Somente dois anos após o abalo decisivo, a linguagem retornou, na mesma forma alegre como antes, porém bem mais comunicativa e livre.

Paralelamente à recusa à fala, chamada "mutismo", havia ainda a suspeita de um retrocesso no desenvolvimento da inteligência e, conseqüentemente, o perigo de uma deficiência mental. Sendo assim, iniciaram-se também os trabalhos de estímulo precoce. Além disso, de forma impressionante, a menina apresentava um comportamento autista. Junto com a manifestação verbal, desistiu também de todo e qualquer tipo de comunicação, com exceção de manifestações de desejos extremamente urgentes. Evitava o contato físico e do olhar, e não mostrava qualquer interesse para uma imitação. Seu comportamento espontâneo carecia de qualquer curiosidade e de atividades produtivas. Restringia-se a algumas poucas manipulações esquemáticas, como acumulação ou enfileiramento de objetos, ou abrir e fechar de uma torneira, deixando a água correr entre os dedos. De forma semelhante comportava-se no *playground*. Não tomava conhecimento das crianças que brincavam ou dos brinquedos de areia, deixando apenas a areia escoar por entre os dedos.

O fato de Luisa não sofrer de deficiência mental deve-se apenas ao seguinte: os pais e os terapeutas foram tão perseverantes e teimosos em seus esforços quanto Luisa em sua recusa. Talvez outros especialistas, céticos, tivessem quebrado a cabeça, tentando descobrir se seu caso não se trataria de uma "pseudo" deficiência ou de uma deficiência condicionada organicamente.

Em todo caso, hoje Luisa proporciona constantemente novas surpresas que não se ajustam a uma deficiência "normal", mas que confirmam antes a suspeita da causa psíquica. Uma transformação decisiva ocorreu quando a referida prima foi visitá-los na Alemanha. Quando a prima entrou na casa, Luisa correu radiante a seu encontro e levou-a para seu canto de brincar. Imitou a prima e começou a conversar com ela. É importante notar que essa transformação sucedeu sem influência terapêutica.

Heiko

Apresentação do problema

Algumas semanas atrás, foi-nos apresentado, em nosso departamento neuropediátrico, um menino de nove anos que, após um acidente na escola, se queixava de terríveis dores de cabeça e sensações paralisantes nos braços e nas pernas. Por essa razão, já estava afastado das aulas há cinco semanas. Vários exames ambulatoriais conduziram à indicação de uma causa psíquica.

Apresentação da criança

O garoto franzino e pálido parece a "tristeza em pessoa". Verbal e intelectualmente é bem desenvolto, educado e amável. Suas manifestações lingüísticas confirmam seu QI de 135. É sem dúvida o melhor aluno da escola e tem um bom relacionamento com a professora. Para os pais, deve ter sido uma verdadeira alegria receber uma criança assim por meio de adoção.

Ele tem amigos na classe, com os quais divide os mesmos interesses que também cultivam fora da escola. "Quais?" é minha pergunta obrigatória. ("Diga-me o que você gosta de brincar e o que você quer ser um dia, e eu lhe digo como você é.") "Oh, treinamos para ser caçadores de fianças e dublês. A gente poderia também unir as duas profissões", explica-me solícito. Ao perceber meu embaraço, ajuda-me com prazer a preencher minha lacuna de conhecimentos, e me esclarece: "Um caçador de fianças cuida de um condenado inocente e procura no mundo todo pelo verdadeiro assassino e por provas contra ele. Às vezes precisa usar um submarino, às vezes, descer de um helicóptero em pleno vôo por uma corda ou saltar de telhado em telhado." Presumo que deva tratar-se de um espantoso esportista cheio de idéias, simplesmente um herói. Ele concorda e acentua que treinam intensamente para isso. Praticam *bodybuilding*, para ficar com os músculos fortes. Rolam escada abaixo, levantando imediatamente, como se não doesse nada.

Pelos pais fico sabendo que o *bodybuilding* já se tornou uma obsessão para seu filho. Coleciona apenas catálogos e recortes sobre alimentos para os músculos e fala com todo o mundo sobre esse assunto. Sob esse aspecto, também pesquisa a programação da televisão. Em todas as conversas com a família, introduz o tema *bodybuilding*. E o fanatismo se estende na seleção da comida: a alimentação deve proporcionar o desenvolvimento dos músculos.

Os pais são um casal de certa idade, conservador e socialmente engajado, que esperou muitos anos pela realização de seu desejo de ter um filho. É de seu agrado que Heiko vislumbre seu ideal na ajuda corajosa ao mais fraco e que desenvolva um forte sentimento de auto-estima. Por essa razão, acabam cedendo e deixam-no sempre decidir sobre o assunto da conversa e o que será cozinhado, e não protegem a filhinha pequena diante da constante tutela do irmão, leia-se dominação. Acham tudo normal. Só têm medo de que isso acabe em obsessão.

Ao adotarem o menino, na época com três anos, sua maior preocupação era saber se ele ainda desenvolveria uma consciência equilibrada de seu ego. Os princípios do desenvolvimento da personalidade não são estranhos ao pai, que é juiz, e à mãe, ex-assistente social. Partiam do pressuposto que, no orfanato, a criança menor e fisicamente mais fraca era oprimida pelas crianças mais velhas, com distúrbios comportamentais. Tinham consciência de que a criança sofria da falta de aconchego, pois veio ao mundo como filho indesejado de uma estudante solteira, que nem quis vê-lo. Por um longo período, a mãe biológica não conseguiu decidir-se se liberaria a criança para a adoção, de modo que o garoto teve de ficar três anos no orfanato. Por causa disso, a fase de estranhamento não ocorreu, como costuma ser típico, e também não foi observada uma fase de birra.

Obviamente, os pais e parentes realizavam, a princípio, todos os desejos da criança. O garoto deveria deitar suas raízes em solo bom. Quando estava com quatro anos, foi possível adotar uma menina de oito dias. Surpreendeu a todos que Heiko não tivesse qualquer reação de ciúme, pelo contrário, adotou imediatamente o papel do ajudante da irmãzinha e ainda hoje comporta-se assim.

Esclarecimento dos antecedentes e do distúrbio do desenvolvimento do ponto de vista da psicologia

Uma investigação no respectivo orfanato mostrou que o pequeno Heiko não era oprimido, era antes mimado por todas as outras crianças e pelos assistentes. Muitas crianças projetaram sua necessidade de compensar os cuidados maternos e de liberdade despreocupada no pequeno Heiko. Carregavam-no para cima e para baixo, como ele queria, brincavam e trocavam carinhos à vontade, sempre que o pequeno Heiko assim o desejava. Na casa dos pais adotivos, continuou-se a fazer tudo isso, e com mais ênfase. Já na sua chegada, determinou que deveria receber só alimento batido no misturador, embora adorasse mastigar macarrão cru.

Banana, só comia amassada com garfo de sobremesa. Se fosse amassada com garfo comum, ele a recusava. Se a mãe lhe oferecesse um alimento mais sólido, fazia terrorismo, gritando com ela e dando-lhe pontapés. Gostava de ser carregado, mas nunca de frente e sim de costas para quem o carregasse. Era-lhe mais importante ver e ser transportado a algum lugar do que sentir e dar amor de perto.

A fim de prevenir um possível ciúme em caso de outra adoção, foi incutido em Heiko – como se faz sempre que outro irmãozinho ou outra irmãzinha está para chegar – que agora era o mais velho, podendo ajudar a cuidar do bebê. Heiko soube aceitar bem o papel que lhe fora designado. Sentiu que, com sua aprovação e dedicação de amor, não deixou de receber atenção por causa da irmã mais nova; pelo contrário, constantemente lhe era transmitido ser mais importante e mais forte que a irmã. Ao lado dos carinhos contínuos e dos desejos sempre realizados, acabou por desenvolver o sentimento do auxiliador soberano. A partir desse momento, além do papel do mais forte, o ato de ajudar e o de realizar tornaram-se a garantia de sua segurança. Amigos da casa, em visitas, sentiam-se como se fossem recebidos numa audiência por um pequeno rei bondoso. Conduzia as conversas com suas perguntas precoces. Devido a seu comportamento discreto – em presença de convidados a mãe nunca se atreveria a lhe servir algo diferente de alimento passado no misturador –, e devido a seus antecedentes, todos transigiam.

O acidente na escola ocorrera da seguinte forma: no recreio, Heiko e seus colegas de classe treinavam caratê. Escorregou e bateu a cabeça num canto de mesa. Heiko relatou, chorando, que doera tanto que teve até de chorar na presença dos colegas. Estes o levaram então para casa.

Naquele momento, toda a segurança que possuía parecia ter-se perdido: perdeu sua coragem, pois um corajoso não chora; não podia mais confiar em sua astúcia nem na força de seus músculos, não era ele o auxiliador, mas os outros tiveram de ajudá-lo. Não era ele o mais poderoso, mas o vencido. A dor psíquica da perda e da decepção aninhava-se de forma aguda em seu cérebro e em seus músculos.

Michael

Apresentação do problema

Os pais de Michael são professores. Desde a primeira gravidez, a mãe não exerce mais a profissão. Após Michael, em intervalos de dois anos, ainda vieram mais duas crianças ao mundo.

O problema de Michael, hoje com oito anos, é uma surdez, além de distúrbios comportamentais e a suspeita de deficiência mental. Todas as tentativas de ensinar-lhe a leitura labial até hoje fracassaram. Por essa razão, os professores da escola para surdos, que freqüenta há dois anos, consideram-no muito imaturo. Recomendam uma mudança para uma escola para deficientes mentais com problemas auditivos. Esta, por sua vez, é tão longe do local onde moram que há necessidade de se pensar num internato. Os pais acreditam que mais cedo ou mais tarde não poderão escapar disso, mas consideram que ainda é cedo demais, especialmente para esta criança-problema, que teve de abrir mão de tantas coisas em sua vida. Os professores são de opinião contrária. Segundo eles, uma temporada num internato não faria mal algum ao menino com acentuado distúrbio comportamental.

Segundo o relatório da escola, durante a aula, o menino faz o que quer. Não consegue obedecer e não demonstra qualquer interesse. Procura colocar-se no centro das atenções (provavelmente devido a uma fase improdutiva ou talvez também para provocar), tirando toda a roupa durante a aula, batendo nos alunos aparentemente sem motivo e sem aviso prévio, rasgando os cadernos deles e coisas semelhantes.

Dada a sua falta de disposição para as atividades, os professores e psicólogos achavam que ele não tinha capacidade para fazer os testes. Por isso, estavam convencidos de que ele era menos inteligente. Michael sabia tirar a roupa, mas não sabia vestir-se. Não sabia lidar com a tesoura e mostrava não decodificar as imagens. Não imitava gestos de comunicação, como balançar a cabeça afirmativamente, acenar etc. Dadas essas premissas, havia pouca esperança de o menino vir a aprender a leitura de lábios.

Em casa, os pais observam um comportamento totalmente diferente em seu filho. Michael sabe vestir-se sozinho e – para desespero da mãe – sabe também lidar com a tesoura, picotando seus livros de receitas. Mostra um bom entendimento de imagens e obriga o pai a copiar figuras dos livros dos irmãos. Sabe até ler várias imagens de palavras. Mas nisso os professores não querem acreditar. Para tanto, expressam discretamente a suspeita de que os pais ainda não conseguem conformar-se com a deficiência do filho. Duas observações da escola batem com as de casa: Michael não imita gestos e gosta de despir-se especialmente na presença de visitas, a fim de chamar a atenção.

Minha tarefa consistia então em julgar a inteligência do garoto e em ajudar a decidir na escolha do tipo de escola para ele.

Apresentação da criança

Michael é um menino bonito, bem desenvolvido e de olhar vivo. Como um raio, passa os olhos sobre o que é permitido e o que é proibido em meu consultório (o que deve ser valorizado como sinal de inteligência). Antes ainda de todos nós nos sentarmos, já remexe em minha escrivaninha e encontra uma tesoura, com a qual pretende cortar um cabo telefônico. Ao meu enérgico "não", permite que lhe tirem a tesoura e o conduzam ao canto onde estão os brinquedos. Lá não se interessa nem um pouco por eles. Examina novamente a sala e descobre um cesto cheio de maçãs. Pega uma por uma, morde-a, cospe-a e recoloca-a no cesto. Deixei a cena decorrer como teste espontâneo, sem me intrometer. Em seguida, peço aos pais que coloquem o menino sentado a seu lado ou que o acompanhem até o local onde estão os brinquedos. Ambas as coisas não são possíveis. Michael defende-se como um animal selvagem, bate, dá pontapés e morde. Os pais o obrigam juntos a ficar no colo de um deles. Após meia hora, Michael acalma-se novamente. Os pais relatam que nos últimos tempos sempre agem assim. Ouviram alguma coisa a respeito do "abraço", que parece ajudar os autistas. Embora não considerem seu filho um autista, não se sentem verdadeiramente notados por ele – então pensaram que o "abraço" poderia ajudar também Michael. E já ajudou. Acham-no mais receptivo que antes.

Esclarecimento dos antecedentes e do distúrbio do desenvolvimento do ponto de vista da psicologia

Já no útero materno, Michael teve de conviver com problemas. No quinto mês de gravidez, a mãe sofreu um grave acidente de automóvel e precisou fazer uma operação imediata com anestesia geral. Por estar inconsciente e sem acompanhamento, os médicos não puderam ser informados a respeito da gravidez. Michael nasceu quatro semanas antes do tempo e foi logo colocado por 14 dias na incubadeira. Após a alta do hospital, tudo parecia estar em ordem. Michael chorava bastante e sempre recebia consolo imediato no colo da mãe ou do pai. O desenvolvimento social, como o contato pelo olhar e a retribuição do sorriso, estava decorrendo de acordo com a idade. Só ao fazerem brincadeiras de esconde-esconde é que perceberam que Michael só procurava a pessoa de referência se antes pudesse segui-la com os olhos. Não reagia ao chamado. Aos nove meses, foi então diagnosticada a total incapacidade auditiva. A fim de não frear o desenvolvimento da comunicação e para mostrar-lhe que os pais o entendiam, esforçaram-se em responder a todos os seus movimentos. Reagiam a cada piscada e a cada indicação da mãozinha estendida.

A criança crescia e ninguém percebia que lhe faltava algo. Era bem humorada, satisfeita e sempre disposta a travessuras. Michael nunca fora dependente de chupeta ou outro objeto de compensação semelhante. Seu comportamento ao brincar não diferia do normal: cuidava de animais de pelúcia e de bonecos como se fossem gente, o que, por outro lado, prova que ele decodifica os símbolos. Todavia, a comunicação com ele era muito difícil. Os pais sempre tinham a impressão de que compreendiam melhor a criança do que ela a eles, o que lhes parecia evidente dada a grave incapacidade sensorial.

Além da incapacidade auditiva, foram diagnosticadas leves perturbações de coordenação no âmbito do equilíbrio e do planejamento prévio de locomoção. Disso deduziu-se a razão para a imitação retardada e para a inquietação da criança. Suspeitava-se que ela, do ponto de vista de seu interesse pelo ambiente, quisesse fazer mais coisas, mas a insegurança de locomoção a impedia. Esse fato também teria colaborado para a insatisfação consigo mesma, para um retraimento interno e para a inquietação.

A onda de perturbações de certa forma "transbordou" quando uma outra irmã nasceu. A ausência da mãe durante o parto tornou o menino tão inseguro que evitava o contato pelo olhar com ela em visitas à maternidade. Reconciliou-se com a mãe apenas depois que ela o mimou bastante após ter alta da maternidade. Podia fazê-lo porque a filhinha era "fácil de cuidar". Mas quando a menina aprendeu a se locomover e ganhou o coração de todos com as primeiras palavras e muito charme, Michael foi ficando cada vez mais insatisfeito, provocador e destrutivo.

Ao examinar suas atividades espontâneas – que, aliás, são muito mais expressivas que os testes tradicionais, pois a criança mostra livremente o que sabe –, alguns disparates chamam a atenção:

O distúrbio planejamento de locomoção dificilmente pode ser responsabilizado pela falta de imitação. Há aproximadamente meio ano, Michael compreende pequenos jogos de bater palmas, que lhe dão prazer. Mas não os imita; conduz as mãos do parceiro e assume o papel de condutor do jogo.

Da mesma forma, não deve ter problemas na diferenciação visual e de sua respectiva memorização, pois, caso contrário, não conseguiria ler. Os pais observam como Michael imita a ginástica em esquis e as atividades de um mágico na televisão. Mas tão logo se sente observado, pára de fazê-lo. Desses movimentos, há muitos que ele não consegue controlar com os olhos – por exemplo o de bater palmas –, mas que são importantes para que ele confie em seu planejamento de locomoção. Disso pode-se deduzir que Michael deveria dominar os movimentos da linguagem de sinais, que são bem mais fáceis. Obviamente, faltam-lhe outras condições prévias para tanto, ou seja, uma disposição de adaptação à comunicação com outras pessoas e uma adaptação a regras comportamentais preestabelecidas.

Enquanto faltarem essas condições básicas para um desenvolvimento social, também não será possível julgar a inteligência com exatidão, pois ambas as capacidades encontram-se em ação recíproca.

Tivemos a impressão de que a falta de leitura dos lábios deve-se mais a um bloqueio da conduta social do que a uma fraqueza mental.

Um primeiro esquema do quadro de distúrbios de crianças despóticas

Se desses quatro casos, que servem para representar muitas outras crianças, enumerarmos aquilo que têm em comum, podem-se reconhecer as seguintes tendências – tendências no sentido de "na maioria das vezes", e não de "sempre":

1. As opiniões que os pais têm sobre a educação não são extremas, mas sim, bem normais. A maioria faz parte da classe média ou ainda do círculo acadêmico. Há muito já reconheceram a "onda antiautoritária" como perigosa. Como autoridade, não querem quebrar a vontade principiante de seu filho, mas também estão convencidos da necessidade de impor limites. Por isso, espantam-se ainda mais com o fato de esta iniciativa ter falhado logo com seu filho-problema, pois souberam educar os filhos mais velhos para serem indivíduos sociais e conscientes de seu valor. Quando os pais são professores, conseguem organizar, sem muito rigor, a disciplina em uma classe inteira. A mãe de uma criança despótica, professora de profissão, perguntou-me certa vez, desesperada: "Como é possível que trinta crianças na classe me obedeçam e meu próprio filho não me respeite?"

Em todos os casos existem *relações familiares organizadas*. As tensões nas relações mútuas não são maiores que em outras famílias, não sendo, portanto, consideradas como parte provocadora do problema. Mas se ocorrerem tensões inusitadas, provocam problemas apenas quando os pais se culpam mutuamente pelos distúrbios comportamentais do filho, discutindo sobre as reações aos distúrbios.

Todas as mães dessas crianças defendem a própria emancipação, mas a maioria deixou sua atividade profissional em favor da criança, pois não queriam deixar seus filhos entregues à assistência em massa. Somente percebem sua própria escravização pela criança quando esta já se tornou um tirano.

2. O *grau de inteligência* das crianças despóticas vai desde a deficiência mental (devido a danos cerebrais orgânicos ou mongolismo, entre outros) até o talento genial. Ao que tudo indica, a inteligência não desempenha um papel relevante na gênese da tirania.

3. A *distribuição por sexo* mostra que inequivocamente mais meninos que meninas são despóticos. A distribuição desfavorável aos meninos também pode ser observada em nascimentos prematuros, MCD (disfunção cerebral mínima, quer dizer, distúrbio mínimo de atividades parciais), legastenia, autismo e outros, mas concentra-se especialmente na tirania. De acordo com estatísticas provisórias e rudimentares, para cada menina tem-se cinco meninos. A explicação para isso é evidente. Faz parte das expectativas tradicionais educar o filho para ser um sujeito com força de vontade, que dará continuidade à descendência; a ele se perdoa muito mais que a uma menina. Por parte do pai, são transferidos ao filho desejos próprios irrealizados de auto-afirmação; por parte da mãe, a vontade de mimar o filho adquire tonalidades eróticas – fala-se do "filhinho da mamãe", mas não da "filhinha da mamãe".

4. Cada uma dessas crianças encontrava-se, nos dois primeiros anos de vida, em uma *situação especial* dentro da pequena família:

• *Como filho único*: lembremo-nos de que mais de um terço de todas as crianças, aproximadamente 35%, crescem como filhos únicos[2]. Erik Blumenthal escreve: "Um filho único freqüentemente sente prazer pela sua posição como centro dos interesses de um círculo pequeno ou maior de adultos e tem um interesse extremamente forte em sua própria pessoa."[3]

• *Como primogênito*: na idade crítica de criança pequena, toda criança já foi filho único um dia. Victor Louis formula com certo exagero: "Todo primogênito carrega consigo a marca de Caim em potencial."[4]

• *Como caçula*, que nasceu bastante tempo depois dos outros irmãos, crescendo portanto como filho único. Talvez tenha conhecido muito mais condescendência que os outros, pelo fato de os pais já se encontrarem na idade de avós, quando normalmente o dever de educar foi cumprido com sucesso, podendo agora mimar o neto. Os irmãos mais velhos não reagem mais com ciúme do recém-nascido. Consideram-no mais como um brinquedo.

A concentração de tirania observada por mim, principalmente em crianças mais velhas e caçulas, está em ampla correlação com as experiências de Alfred Adler, que pesquisou a influência da posição na seqüência de nascimento dos irmãos sobre a diferença de desen-

---

2. Cf. R. Lempp: *Familie im Umbruch*, Munique, 1986, p. 87.

3. E. Blumenthal: *Wege zur inneren Freiheit. Theorie und Praxis der Selbsterziehung*, Lucerna e Stuttgart, 1984, p. 84.

4. V. Louis: *Einführung in die Individualpsychologie*, Berna e Stuttgart, 1975, p. 55.

volvimento de uma necessidade de ser valorizado e do surgimento de um sentimento de inferioridade. "Muitas coisas, naturalmente, são iguais para os irmãos de um mesmo lar, mas, por meio da posição na seqüência de nascimento, a situação psíquica de cada criança é individual e diferenciada da dos irmãos."[5]

- *Como criança adotiva*, quando os pais adotivos se esforçam muito em satisfazer as necessidades indubitáveis de compensar a união e a confiança, e querem provar à criança seu amor. Subliminarmente, as necessidades de compensar o amor também têm uma função.

- *Como primeira criança adotada*, quando as chances e perigos encontrados na criança adotiva e no primogênito se multiplicam.

- *Como criança adotiva negra*, em cujo desenvolvimento da vontade e da autoconsciência os pais adotivos têm um interesse especial, para dar-lhe a chance da auto-afirmação em nosso mundo xenófobo. Além disso, por causa de sua aparência diferente, ela goza de maior admiração em seu ambiente mais próximo e em locais públicos.

- *Como criança de risco*, seja devido a doença, deficiência dos sentidos, deficiência física ou mental. Dentre elas, estão também as crianças que sofrem de bronquite convulsiva, ataques, falta de ar e suspensão da respiração (estados apnéicos), crianças que fazem fisioterapia à força (por exemplo segundo Vojta), crianças que sofrem de grandes *handicaps* em sua auto-realização e comunicação. Todas elas foram alvo de

5. A. Adler: *Problems of Neurosis. A Book of Case Histories*, Londres, 1929, p. 96.

grande compaixão e do desejo de lhes substituir aquilo de que devem desistir fora da casa dos pais.

5. Não se sabe em que grau uma *perturbação da segurança primordial* tem conexão com o parto. Constatou-se, todavia, que o fato de vivenciar e aproveitar a ligação e a união simbiótica com a mãe sempre estava relacionado a perturbações em todas as crianças.

6. São freqüentes os relatos de que no início tratava-se de uma criança *fácil de cuidar*. Com a idade de seis meses até aproximadamente dois anos, teria surgido uma *mudança* nas crianças, acompanhada de inquietação nervosa. A mudança ocorria na fase anterior à identidade do ego, portanto, antes ainda da fase da birra, e coincidia com circunstâncias especiais, que exigiam a total atenção dos pais, por exemplo dentição, vacinas, mudança alimentar, distúrbios do sono, doenças ou o crescente impulso de locomoção da criança.

Muitas vezes, o modo temperamental e ativo iludia quanto à inquietação doentia. Os pais alegravam-se pela iniciativa vivaz de seu filho e permitiam que ele não lhes desse descanso, sem perceberem que com isso já se iniciava a tirania (caso Luisa).

7. Considerando-se o *desenvolvimento da personalidade*, ocorrem anomalias impressionantes, que enumero a seguir de forma concisa. Apenas nos próximos capítulos coloco-me a tarefa de examinar, a título de experiência, as relações entre a tirania e essas anomalias. Agora acentuo somente que se trata de conseqüências do bloqueio naquela etapa do desenvolvimento da personalidade, na qual a criança pequena vivencia o domínio onipotente do meio ambiente como sua experiência confiável.

Na análise dos antecedentes, sobressai muitas vezes a ausência da *fase de estranhamento* (aproximadamente por volta do oitavo mês) e a *fase da birra* (aproximadamente entre dois e dois anos e meio). Os pais relatam que o comportamento teimoso começou bem cedo, na época da fase de estranhamento, e "dura até hoje", embora a criança já freqüente a escola.

Em crianças menos inteligentes ou com talento unilateral-técnico acima da média, com tendência à introversão, observamos um *uso retardado da forma do eu* na linguagem. Freqüentemente, isso é acompanhado por uma *tendência à involução* da capacidade de aproveitamento e da construção da personalidade (regressão).

Durante o dia, raras vezes as crianças dependiam da chupeta; utilizavam-na – quando muito – para pegar no sono. No sentido de Winnicott e Mitscherlich, os chamados "objetos de transição" ou "fenômenos de transição" – não estamos nos referindo aos próprios órgãos do corpo, como o polegar, ou aos maternos, mas ao paninho ou ursinho –, que começam a ser usados aproximadamente ao final do primeiro ano de vida e são abandonados com o crescente desprendimento da mãe, ou não foram utilizados por essas crianças ou surgiu uma dependência de muitos anos.

Muitas vezes, ao lado da insistência obsessiva por determinados objetos ou processos, observa-se uma dependência do ato de colecionar. Mas a dependência narcisista mais forte parece estar relacionada à tirania. Em todo caso, por trás de todos esses distúrbios encontram-se o desprendimento e a individuação não ocorridos na criança.

O tirano não consegue ou consegue apenas parcialmente o desprendimento. Um desprendimento parcial é uma contradição em si, mas típica e doentia no tirano. Ele se liga continuamente e de forma simbiótica a determinadas características da personalidade da mãe ou a determinados âmbitos de sua vida e neles exerce o seu poder. Quanto mais ele tem a mãe sob seu domínio, tanto menos consegue desprender-se dela.

8. Observa-se que a criança despótica exerce o poder em *determinados territórios*, e cada âmbito de vivência recebe regras comportamentais próprias (caso Michael). Às vezes é traçado um rigoroso limite entre os âmbitos, por exemplo "anjo na rua" e "diabo em casa". Tem-se ocasionalmente a impressão de que há "duas almas no peito" da criança. Outras vezes, o poder é exercido em determinados pontos – quando por exemplo insiste num determinado alimento ou num determinado papel social.

9. Em geral, no *comportamento* sobressai um egocentrismo característico, exigências de teimosia e a constante necessidade de encontrar-se no centro das atenções. Isso lembra um episódio inesquecível: um menino de sete anos, ao entrar num consultório médico, descobre uma fotomontagem com vários retratos de crianças e pergunta, indignado: "Por que eu não estou lá?" A criança despótica é insaciável na percepção e afirmação de seus direitos, um saco sem fundo.

As exigências correspondem a um *todo-poderoso.* Fracassos são insuportáveis. O déspota não pode perder. Um jogo de ludo pode transformar-se num drama. Atividades em que a criança não tem destreza são logo abandonadas. Freqüentemente ocorrem *inquietação* e agitação contínua em forma de movimentos nervosos e incapacidade de saber esperar. Diante da propriedade alheia e de pessoas estranhas, a criança despótica distingue-se por *falta de distanciamento.*

Constantemente testa seu ambiente quanto à possibilidade de dominação. A fracassos muitas vezes inevitáveis, reage com manhas e constante insatisfação.

O apego extremo a determinados objetos ou atividades transforma-se em dependência obsessiva. Sobre os caprichos alimentares das crianças despóticas, eu poderia escrever um livro à parte. Alguns exemplos: da carne, apenas bife à milanesa, apenas espetos de peixe frito, somente a pele do frango assado; carne moída, só com molho de tomate; de legumes, só espinafre; de frutas, apenas laranja-lima; se tiver que mastigar, então somente macarrão cru, e assim por diante. Muito mais forte que a preferência por determinados pratos é a *recusa obsessiva a pratos oferecidos* – o que acaba determinando a preferência. A pergunta "O que a criança gosta de comer?" é mais simples de responder do que a pergunta sobre o que ela recusa. Conheço crianças que não se adaptaram à passagem do leite materno ao alimento sólido. Tiveram de ser alimentadas artificialmente e preferiam andar por aí com a sonda no nariz. As artes terapêuticas e educacionais do pessoal hospitalar e dos locais de orientação educacional também fracassam. Nem a fome nem a possibilidade de recompensa lucrativa conseguem desviar a criança de seu comportamento teimoso. Em atividades de aproveitamento, as obsessões também podem se manifestar de forma pontual. Conheço uma menina que só estuda quando lhe prometem meias de náilon ou uma fivela diferente para o cabelo; estuda apenas por essa determinada recompensa.

10. No âmbito do *comportamento social*, falta a capacidade de adaptação elementar, ou seja, estar disposto a notar as necessidades do semelhante, a tentar

compreendê-las e a entrar em acordo. O tirano determina ele próprio a forma de sua adaptação, por exemplo, apenas ajuda e obedece *quando tem vontade.* Essa atitude absolutamente egoísta faz-se notar também na troca de carinhos, sem que as mães se dêem conta disso no começo – por causa de sua própria paixão pela criança.

De acordo com a intensidade e o tato com que a criança exorta os pais à realização de desejos, os pais sentem-se ou espoliados e explorados, ou acham que a criança, com o seu charme, consegue fazer o que quiser com os outros, mas preferencialmente com as mulheres. Às vezes não consigo reprimir a observação de que conheço apenas uma profissão com estas características, isto é, a de gigolô. Com essa comparação infelizmente não encontro resistência, mas causo tristeza nos pais ou, no melhor dos casos, uma conversa franca.

Embora os pais se queixem da *falta de compaixão* de seu filho e de seu comportamento sem qualquer consideração, não conseguem repreendê-lo. A criança não faz isso de propósito, dizem, não sabe o que faz. Não é que ela negue a compaixão, simplesmente não sabe o que é isso. Mas, estranhamente, a mesma criança tem idéias bem claras de como seu semelhante deve tentar compreendê-la, portanto, sabe muito bem do que se trata. Seu sentir não está direcionado ao outro, seu semelhante – altruisticamente –, mas refere-se a seu próprio eu (ego).

A criança reage com hipersensibilidade à crítica e não consegue admitir seus próprios erros. Como nunca está disposta a ceder, não consegue relacionar-se com crianças da mesma idade. Daí sua preferência por amigos que se adaptem a ele, principalmente se forem crianças bem mais velhas ou bem mais jovens.

Desde que no grupo dos irmãos ninguém sacuda seu trono, não precisa travar batalhas de poder. A criança despótica sente-se a mais forte, mais forte que o irmão mais velho e mais amado que o bebê – simplesmente sem concorrência. Sua relação positiva com o irmãozinho recém-nascido é muitas vezes valorizada erroneamente pelos pais como elevada colocação social.

Quanto ao *estudo*, o tirano decide sozinho, negando veementemente qualquer suspeita de fraqueza e submissão. Concentra-se apenas nos conteúdos didáticos que lhe agradam, e isso apenas enquanto quer; um posicionamento que, associado à boa inteligência e à curiosidade, poderia realmente parecer ideal. Problemas ocorrem quando – e somente quando – a criança deve adaptar-se a dificuldades vindas de fora e a superá-las.

Tão logo a criança despótica não se encontre mais no *centro das atenções* de um educador, sente qualquer exigência como rebaixamento, como motivo para protesto. Defende-se com tanta veemência *contra toda e qualquer influência pedagógica e terapêutica*, que parece ser imune, *resistente* a essas medidas.

Aprecia jogos facilmente domináveis devido à sua clareza esquemático-funcional. Passando por todos os níveis de inteligência, tem, portanto, grande preferência pelo *brinquedo técnico*: é facilmente manipulável e dispensa um parceiro de jogo, ao qual teria de se adaptar. Aperta-se um botão e o carro corre para lá e para cá, para a direita e para a esquerda, como o comandante ordena. Sendo assim, carros em miniatura, com controle remoto, computador etc. estão em primeiro lugar na lista de pedidos.

Colecionar também faz parte dos *hobbys*, quer se trate de selos ou de quaisquer outros objetos sem valor. Todos eles são acumulados, separados e guardados. O manuseio dos objetos de coleção proporciona a sensação de possuir um pequeno reino e de poder dominá-lo.

Em jogos de personagens – se é que ocorrem –, a fantasia da criança despótica ocupa-se sempre com personagens poderosos, como chefe de polícia, cacique, drácula, além de a ação ser sempre dominada por agressões. Com freqüência, o jogo de personagens, pobre em variações, acaba se tornando rígido. Um menino de sete anos brinca há dois anos diariamente com seus bonecos de Playmobil, simulando o ataque à montanha Säntis e modificando, como comandante, apenas as tropas, e com isso a brincadeira também chega ao fim.

Se dermos à criança despótica a possibilidade da *projeção* em profissões desejadas, animais, veículos ou similares, as idéias cheias de poder, força e dominação saem aos borbotões: chefe de polícia, diretor de zoológico, Tarzã, Rambo, condutor do maior guindaste do mundo, médico-chefe, cantora *pop* como Nina Hagen, James Bond etc.

Um garoto decidiu-se pela profissão de presidente do parlamento. Quando lhe respondi que para essa profissão exigente deveria aprender muito e que seria melhor escolher outra profissão, ele disse de bom grado: "Então chanceler." À minha pergunta sobre como imaginava ser o exercício dessa profissão, disse:

"Apareço todos os dias na primeira página do jornal de Stuttgart."

Entre os animais, a escolha recai sobre o maior gorila, dinossauro, tubarão, baleia azul, leão. Basicamente, as crianças pensam em dominar: "Os outros animais e as pessoas têm medo do leão." "A baleia azul é o maior de todos os peixes e é dona de todos os mares."

Entre os veículos, são preferidos o Porsche, o foguete, o Airbus e o carro de polícia com sirene. Deve ser um veículo que tenha preferência no tráfego e que seja o mais veloz.

Na *comunicação verbal*, é notável que a maioria das crianças não consiga escutar. As crianças despóticas menos inteligentes tendem a negar a resposta, mas fazem perguntas estereotipadas, a fim de receber uma resposta já conhecida ou para que seus desejos sejam realizados. Muitas crianças, independentemente do nível de inteligência, utilizam a linguagem como meio de dominação. Perguntam constantemente "por que", sem esperar uma resposta, ou perguntam "quem é ou o que é isto", mas não "o que você está fazendo? Você tem vontade de fazer alguma coisa diferente do que estou fazendo? Está doendo?" Assustadoramente poucas são as crianças que relatam experiências próprias, nem sucessos, nem fracassos, e praticamente criança nenhuma relata as preocupações de outras crianças – a não ser para regojizar-se com a desgraça alheia.

Na biografia dessas crianças, esconde-se em algum lugar ou em algum momento o *desapossamento*. O motivo exterior parece freqüentemente inofensivo ao mundo, mas do ponto de vista da vivência da criança é avassalador: uma mudança de casa, a atividade crescente do irmãozinho menor, a colocação no jardim-de-infância, a confrontação com as regras e exigências da escola, o reconhecimento das próprias fraquezas em comparação com outras crianças. A necessidade de se adaptar aos problemas, sem que se tenha vontade para isso, simplesmente porque se precisa, é vivenciada como risco total, ao qual a criança em questão reage com depressão e agressão, conforme seu temperamento, sua coragem e suas inclinações de personalidade.

A partir desse momento, altera-se a *dinâmica de relações dentro de toda a família*: de repente a criança torna-se difícil e perde o papel de paxá, é questionada; na busca pela causa da perturbação, os adultos responsáveis pela criança entram em choque devido a acusações mútuas de culpa.

Finalizando, ainda uma observação sobre a freqüência: na Europa Ocidental (e no Japão) é observado um aumento do despotismo em crianças nascidas a partir de 1975. Nos EUA, essa epidemia eclodiu dez anos antes – os atuais adolescentes que chicaneiam seus pais fazem parte desse grupo.

O círculo de observações se fecha, e fica a pergunta: onde buscar as causas para a tirania?

O enigma das origens

Se em conversas superficiais começa-se a falar sobre o pequeno tirano doméstico, ouve-se, na maioria das vezes, uma resposta resoluta e incontida: "É a conseqüência da onda antiautoritária." Palpite errado! Embora essa onda tenha gerado uma porção de crianças e adolescentes difíceis de educar, com pouco respeito pelos pais e por regras gerais, instáveis e pouco responsáveis, que sofrem pela falta de sentido da vida, com tendências à resignação e à "síndrome da falta de vontade", ou seja, à destruição do mundo sem sentido e da própria pessoa, eles não precisam dominar o ambiente. Muitas vezes procuram apoio no mais forte, seja um chefe de seitas ou de bandos, um indivíduo ou um grupo. Reconheço que as tendências antiautoritárias provocaram uma desorientação, da qual, por exemplo, poderia derivar o medo dos pais de cortar a vontade do bebê, preferindo deixar que este ultrapasse os limites. Porém, a causa não pode ser apenas isso.

Por fim, as pessoas em discussão lembram-se de que sempre existiram tiranos. Já na Bíblia encontramos um Herodes, um se lembra da sogra tirana, outro, do chefe de departamento. Já em criança devem ter sido servidos dos pés à cabeça e dotados de autoridade sobre os outros irmãos. Antigamente eram denominados "soberbos". Contudo, é difícil entender os motivos pelos quais esse fenômeno ocorre hoje de forma tão freqüente e justo em famílias que, a princípio, não queriam formar um tirano. Para explicar esse mistério, pensa-se em hereditariedade, pois "o irmão mais novo do vovô também era assim difícil, tornou-se até um temido primeiro-sargento", e busca-se conselho também na astrologia. "Não é de se admirar que Alexander nos explore assim", disse-me sua mãe. "Eu sou de sagitário, gosto de dar liberdade, meu marido de libra e Alexander de escorpião. Um escorpião no verdadeiro sentido da palavra. E sua professora também é de escorpião. É lógico então que os dois não se entendessem!"

Já com base nesses poucos exemplos, torna-se palpável o perigo de tais interpretações, que examinam apenas uma única causa para um acontecimento tão complexo. Não é de se admirar que pais, por desespero e desconhecimento de causa, tendam a tais simplificações monocausais. Buscam auxílio com especialistas. Mas estes tendem aos mesmos erros interpretativos. De tanto medo da falta de conhecimento científico, que poderia ocorrer devido a uma coleta imprecisa de dados, não atacam o problema em toda sua amplitude, mas preferem reparti-lo em partes isoladas, mensuráveis e previsíveis. Por causa desse modo mecanicista-analítico de pensar, pode acontecer, de acordo com a especialização do profissional, que uma ou outra parte isolada do todo seja supervalorizada e que, em conseqüência disso, a uma única causa seja imputada uma importância irrealmente grande. Assim, os cientistas tendem a examinar ou a inquietação, ou as perturbações de concentração, ou a influência dos meios de comunicação de massa e similares. Os diagnósticos e auxílios obtidos a partir de uma perspectiva tão estreita são igualmente escassos, muitas vezes passando ao largo do verdadeiro problema. Desse modo, em vez da tirania, o diagnóstico para Alexander teria sido a fobia à escola, causada pela professora. No caso de Michael, houve profissionais que tenderam a diagnosticar a deficiência mental como perturbação da função tátil-cinestésica vestibular, recomendando um treinamento sensomotor.

A seguir, enumero algumas dessas tentativas de interpretação sem questioná-las, pois cada uma delas tem sua legitimidade, à medida que contribui para o entendimento de toda a problemática.

• A suposição de um *distúrbio orgânico-cerebral, condicionado bioquimicamente*, pode levar à prescrição de psicofármacos. Segundo estimativa do IMS (Instituto de Estatística Médica de Frankfurt), por ano, são prescritos na Alemanha 400 000 medicamentos hipnóticos e sedativos para crianças até doze anos, dentre eles também soníferos causadores de dependência. Além disso, a esse grupo etário foram prescritos 100 000 antidepressivos e, espantosamente, 65000 tranqüilizantes e 225000 neurolépticos (trata-se de medicamentos que agem de forma entorpecente sobre o sistema nervoso central). O pediatra Dr. Walther relata a respeito de um seminário informativo sobre o tema "Psicofármacos na educação", em Frankfurt: "Psicofármacos são freqüentemente prescritos a crianças em casos de distúrbios da concentração, da memorização e do sono, e em casos de inquietação e hiperatividade. Apenas em um número ínfimo de casos tal prescrição se justifica, por exemplo em psicoses infantis ou em ataques epiléticos."[6]

• Interpretações semelhantes encontramos em médicos naturalistas e na medicina homeopática, que responsabiliza tão-somente a *alimentação à base de fosfato e chumbo* pela inquietação e alta irritabilidade da criança. A poluição ambiental é a culpada de todos os males. Desse modo, já se formaram vários grupos por iniciativa de pais, a fim de praticar auto-ajuda em bases ecológicas. A mera mudança para alimentos pobres em fosfato e chumbo desconsidera muitos problemas educacionais sérios, praticamente varrendo-os para baixo do tapete.

• Os adeptos das teorias de *disfunções orgânico-cerebrais e danos cerebrais leves* partem do pressuposto de que os distúrbios comportamentais e a insatisfação das crianças surgem no campo de tensões entre alta inteligência e capacidade de execução prejudicada. Conseqüentemente, acreditam que é possível auxiliar as crianças com uma reorganização neurofisiológica em forma de treinamento funcional, com base neurofisiológica, por meio de fisioterapeutas e ergoterapeutas. São oferecidos, adicionalmente, treinamentos de concentração baseados na terapia comportamental, com sistema de recompensa.

• A maioria da população culpa a *televisão* pelas estranhezas comportamentais de hoje. Provavelmente, o que permite tal divulgação dessa opinião é o fato de se ter a televisão, no verdadeiro sentido da palavra,

---

6. Citado conforme Th. Saum: "Arznei gegen Zappelei", *in*: *Psychologie heute*, 3/1986, p. 12.

"diante dos olhos", e por ela ter se transformado em conteúdo de vida diário e objeto de luta de poder. Uma professora, mãe de uma criança despótica, relatou: "Quem está com o controle remoto tem em casa o poder e determina o que nós todos devemos assistir." Um pai acrescenta: "Se não deixo meu filho escolher o programa, faz tanto terrorismo que não consigo ver nada mesmo, portanto cedo logo e tenho meu sossego."

A televisão destrói, em muitos casos, a dinâmica do relacionamento familiar, a influência cultural e o posicionamento diante dos valores. O autor Neil Postman, também conhecido entre nós, opina em seu livro *Divertimo-nos até morrer* que a televisão transformou nossa cultura numa enorme arena para *show-business*, na qual praticamente qualquer tema é oferecido para o divertimento[7].

Por ter-se transformado na mais importante atividade de lazer e por incentivar com suas ofertas atrativas a imitação, a televisão contamina o espectador com superficialidade, leviandade, idéias de sucesso e fascinação por força e agressividade. Quanto mais freqüente e brutal é representada a demonstração de agressividade, tanto mais cedo ocorre o embotamento, a contaminação pelo e para o mal. Várias são as crianças que se orientam pelo exemplo de Rambo e He-Man, fascinadas pelo poder da força bruta, sem ter simultaneamente a chance de diferenciar entre o bem e o mal. Conseqüentemente, muitos pais limitaram o acesso à televisão ou a proibiram de todo. Porém, não conseguiram atenuar o problema da criança despótica com esta atitude.

---

7. Cf. N. Postman: *Wir amüsieren uns zu Tode*, Frankfurt, 1985, p. 102.

• Outra hipótese procura também as causas fora dos afetados: todo ser humano é marcado pelo seu meio ambiente, especialmente a criança desamparada, muito jovem e manipulável. Indefesa, ela fica entregue às projeções dos seus pais com suas necessidades neuróticas de recuperação, é quase vítima dos próprios pais. Cada um tem seu próprio *script* de vida e dificulta a vida do outro, inclusive a da criança, em seu desdobramento da personalidade. Se esses momentos de suspeita citados são vistos como única causa, então os pais são encaminhados à terapia familiar e a criança a uma terapia lúdica não diretiva.

• Os críticos da *sociedade de consumo* vêem os distúrbios destrutivos como conseqüência de debilitação, mimos e comodismo. A criança sente falta do espaço natural em que mede suas forças reais e atinge um sentimento real de valor próprio. Em vez de desenvolver as próprias atividades, a criança recebe brinquedo pronto, alimento pronto e música pronta. A produção ocorreu de forma tecnicamente perfeita e bem organizada numa fábrica. O objeto é facilmente substituível e deixa de ser valorizado. Muitas crianças não sabem de onde vêm o leite, os ovos, as conservas de legumes e frutas. Vêem o supermercado como fonte de alimento e acham que podem fazer com esses alimentos o mesmo que fazem com a goma de mascar: comprar, mastigar e cuspir.

• Como causa importante para as agressões represadas e não desviadas é vista a *falta de possibilidades de brincar e de locais para brincar.*

• Porém, maior obstáculo no desenvolvimento do comportamento social é, para muitos, a *família pequena,* que vive perfeitamente instalada, provida de todos os serviços e hermeticamente fechada em suas quatro paredes. Numa família pequena como essa, o filho único é criado numa redoma. Conheço crianças de 14 anos que nunca cortaram elas próprias uma fatia de pão, nunca engraxaram sapatos ou pregaram sozinhas um botão, muito menos ajudaram a mãe ou tiveram de assumir deveres. E por que deveriam? A organização perfeita da nossa sociedade de consumo inventou o carrinho de supermercado e a garagem subterrânea. Elas nos poupam de ter de andar e carregar.

• A utilização da *linguagem de computador* conduz ao empobrecimento do raciocínio, e uma vez que é utilizada como meio para a comunicação e no lugar da comunicação interpessoal, a socialização também é afetada. Ao mesmo tempo, contudo, o raciocínio mecânico das máquinas calculadoras transmite conclusões inequívocas, que vêm de encontro à tendência de pessoas muito inseguras de se retraírem diante da multiplicidade imprevisível da vida. O olhar fixo, como o de um viciado, na tela do computador, já atingiu toda a geração dos pais, e fica em aberto a questão até que ponto o seu modo de pensar, que diminui gradativamente a vivacidade emocional, já não contagiou também as crianças.

• A crítica a essa sociedade e a sua *poluição*, desde a extinção de florestas até os valores éticos, tem sua razão de ser. Mas no aconselhamento de uma criança com graves distúrbios comportamentais, esse ponto de vista tem um significado bastante restrito. Na amplitude quase monumental do problema apocalíptico, muitos pais sentem-se impotentes, como se tudo estivesse perdido, e tendem à resignação.

• As pessoas chegaram a um ponto culminante, em que consideram um desenvolvimento posterior como perigo. Em meio ao seu círculo cultural existente, dominado por computador e distanciado dos sentimentos, desenvolvem verdadeiras atividades para *o retorno à vinculação instintiva*. No interesse de uma renovação do ser, muitos pais jovens rejeitam as recomendações de seus pais, uma geração que na primeira metade do século XX foi marcada pelo behaviorismo americano. O clímax dessa mentalidade racional e direcionada ao sucesso na psicologia do aprendizado e na pedagogia foi considerar danoso o ato de mimar lactentes e reagir com consolo ao seu choro. Deve-se frisar que essa forma fria de cuidar de crianças resultou em fortes dependências neuróticas de satisfações compensatórias (inclusive o vício do computador), mas não em aumentos específicos de tirania. Os novos pais lutam pelo parto normal, pelo *rooming-in* posterior, a fim de manter a ligação com a criança, pelo "canguru" para carregá-la, em vez do carrinho, e pela amamentação. Essa disposição de luta para a humanização deu-se inicialmente nos Estados Unidos, onde a devastação provocada pela tecnocracia também foi inicialmente instalada, passando logo para a Alemanha e para o Japão. E é exatamente desses países que chegam números assustadores sobre as agressões e destruições ilimitadas:

• nos Estados Unidos, estatísticas recentes apuraram que dois milhões de pais foram maltratados por seus filhos[8]. (Observação da autora: não se trata aqui de um engano!);

• na Alemanha, em 100000 habitantes, 1870 pessoas cometeram suicídio. Dentre estes, 1300 são jo-

8. Cf. F. von Cube-Alshut: *Fordern statt verwöhnen*, Munique, 1986.

vens, que põem fim à sua própria vida[9], sendo que o número de suicídios aumenta em crianças a partir de oito anos[10].

Os críticos que não conseguiram cessar a linha "branda" e conservar o cuidado técnico e esterilizado de crianças acham agora que estavam certos. A causa da desgraça deve ser buscada no afastamento da razão, bem como na acentuação dos instintos, que nem estão mais à disposição do ser humano. Seria melhor se recolocássemos o vagão descarrilado nos "velhos trilhos". Essa alusão refere-se àquelas recomendações neurotizantes do período mencionado, no qual a tecnocracia ignorava a existência dos instintos, sem conhecer o comportamento emocional da criança pequena.

Minhas idéias preliminares sobre a formação da tirania

Parto do ponto de vista cada vez mais presente na psicologia e na psiquiatria de que distúrbios psíquicos nunca surgem devido a uma causa determinada, mas que devem ser entendidos "como resultado de ações recíprocas de diversas forças [...], que no âmbito de uma estrutura completa de ações entram em relacionamento umas com as outras em níveis diferenciados[11]". Não subestimo nenhuma das causas isoladas

9. Cf. *Statistisches Jahrbuch der Bundesrepublik Deutschland*, Wiesbaden, 1982-84.

10. Cf. H. Nohr: "Liebe und Geborgenheit bei Eltern", *in*: *Kindergesundheit*, 12/1986.

11. J. Martinius: "Steotypien. Beschreibung, Bedeutung, Behandlung aus ärztlicher Sicht", *in*: *Therapeutische Ansätze in Theorie und Praxis*.

mencionadas. De acordo com a criança e com a situação, com o modo de ser de seus pais, com sua mentalidade e a da família, esta ou aquela causa pode pesar mais em relação ao conjunto. Numa pode causar uma tirania explícita, em outra ela não se forma sob condições similares, porque a predisposição inata não estava sujeita às condições doentias.

Apenas a partir desse ponto de vista permito-me chamar a atenção para uma determinada causa. Pode parecer duvidoso se neste livro me esforço em apresentar minha hipótese sobre uma relação determinada entre a "linha branda" e a tirania.

Estou consciente desse risco. Todavia, justamente por causa dessa linha, ouso apontar um erro que ocorre no retorno às tradições antigas e baseadas num comportamento instintivo do cuidado com a criança. Nos círculos culturais primitivos, ao ser carregada e amamentada pela mãe, a criança é obrigada a adaptar-se a ela, bem como a todas as condições de vida da família grande. É ainda bastante tolhida em suas atividades, mas sente-se segura e, devido à adaptação recíproca, entendida por seus pais ou irmãos – ou por quem quer que a carregue. Suas necessidades de ligação são satisfeitas e apenas paulatinamente recebe dos pais protetores concessões para o desprendimento. Mas quando os pais de hoje carregam o filho, ocorre uma inversão da adaptação: os pais, juntamente com as boas condições gerais de vida do círculo cultural tecnocrata e da pequena família, acabam adaptando-se ao bebê. Dessa forma, a criança perde não apenas a chance de exercitar sua adaptação ao seu redor como

---

Relatório do VI Simpósio Federal da Associação Federal "Hilfe für das autistische Kind", Hamburgo, 1984, p. 44.

condição para uma vida útil, mas também a possibilidade de se sentir segura. Numa determinada etapa do desenvolvimento do raciocínio e da personalidade, o bebê é extremamente sensível a sentir-se onipotente e os pais como totalmente domináveis. Se esta se torna sua experiência mais confiável, nada mais lhe resta além de transformar o domínio do seu ambiente em satisfação compensatória de suas necessidades básicas de segurança. Passa a depender de sua experiência de dominar como se fosse de um vício.

Quero reforçar neste livro a seguinte hipótese: quando dois fazem a mesma coisa, não quer absolutamente dizer que seja a mesma. Não se pode impensadamente transferir o modo de viver de uma sociedade pré-industrializada ou de um chamado "Terceiro Mundo" para nossa sociedade tecnocrata de bem-estar social. Não é minha intenção desaconselhar o retorno ao instintivo, muito pelo contrário, quero proteger a "linha branda" de sua difamação e ajudá-la em seus esforços humanistas.

As mães que negligenciaram seus filhos por causa de sua própria emancipação não são as atingidas pelo problema; pelo contrário: trata-se de uma geração bem mais jovem, que devido a profundas convicções e por medo de errar tentou dedicar-se totalmente à criança. Exatamente estes pais, que querem tornar esta sociedade mais humana, entram em dificuldades.

Quão pouco podemos confiar em nossos instintos

Por causa do estilo de vida marcado pelo racionalismo, nossos instintos se calaram consideravelmente.

Não sabemos e não sentimos mais plenamente o que é bom para o bebê e o que o prejudica. Faço essas observações quando mostro filmes dos países em desenvolvimento a pais e especialistas de profissões pedagógico-psicológicas, inclusive àqueles da área de estímulo precoce. Faz bem à criança ser tão bem agasalhada a ponto de não conseguir nem mexer as mãos? Será que os movimentos bruscos da mãe ao amassar os cereais não prejudicam o bebê? Que efeito tem carregar constantemente o bebê no colo ou amarrado às costas? Se na maioria das vezes a criança é carregada nas costas ou, como entre os beduínos, sob o véu da mãe, não tendo oportunidade de olhá-la, a criança não pode ficar autista? O que realmente é mais importante: o contato físico muito próximo sem contato visual ou olhar a criança a uma pequena distância e falar com ela? Será que a criança da Etiópia não sente sua mãe como uma ameaça, ao ser mantida presa a seu corpo, passando fome e sede destruidoras? E por que os bebês em Sumatra ou no Peru não têm chupeta? É favorável às crianças ou um excesso de estímulo levar o bebê nas costas para todos os lugares? A criança não necessita também de sossego e paz, bem como de liberdade para seus membros?

No decorrer da industrialização as medidas primitivas de cuidado foram cada vez mais colocadas de lado. Em vez da mãe, eram usados objetos e regras: incubadeira, incubadeira aquecida, berçário com filas de berços e janelas envidraçadas, mamadeira, carrinho de bebê, cercado. Os sentimentos foram banalizados, deformados. Para separar o bebê da mãe, foram apresentados motivos médicos e pedagógicos, ratificados com base em alguns dados estatísticos extraídos do contexto geral do bem-estar da criança, como a diminuição da mortalidade infantil. Um cuidado médico-técnico perfeito era o mais importante. Para evitar infecções – eis por que também as janelas de vidro entre mãe e filho, nenhuma presença do pai durante o parto, nada de amamentar –, a esterilidade era escrita em letras maiúsculas. O fato de uma esterilidade dos sentimentos se insinuar por causa disso não era levado em consideração pelos especialistas obtusos. As justificativas para tanto pareciam emocionalmente suficientes: a mãe também precisa do seu descanso. A criança devia acostumar-se a regras. Devia gritar para fortalecer as cordas vocais.

Quanto mais os progressos da técnica marcavam também o estilo de vida, menos espontaneidade era transmitida:

- Em sua infância, a bisavó foi carregada, amamentada e costumava dormir com os irmãos pequenos na cama dos pais.
- A avó, quando criança, não chegou a ser carregada, pois já havia um carrinho para ela, mas foi amamentada e, por falta de lugar, tinha de dormir na cama da mãe, onde recebia sempre o contato físico consolador.
- A mãe não foi nem carregada nem amamentada, mas tinha de comer o que lhe colocassem à frente e, querendo ou não, tinha de dormir em sua própria cama, onde seu choro não era considerado, exceto em caso de doença.

Ao orientar o "abraço", faço observações particulares que já se tornaram típicas devido à freqüência com que aparecem. Quando peço a uma mãe turca, persa ou boliviana para consolarem o filho no colo, colocam-no imediatamente em movimentos rítmicos rápidos. Na maioria das vezes, as mães o fazem assim que pegam a criança no colo, sem esperar por minha sugestão. Ao pedir-lhes, como teste, que parassem, as mães reagiam como se algo extraordinário devesse acontecer: "O que aconteceu? Por que isto?" O ritmo consolador do embalo, corpo a corpo, desde a infância havia se tornado um hábito para essas mulheres. Esse ritmo está relacionado de forma inseparável e inconsciente à necessidade de tranqüilidade e equilíbrio interior. Contrariamente, as mães alemãs, americanas, holandesas ou vindas de outros países "civilizados" tendem a apertar a criança sem qualquer movimento rítmico adicional, como embalá-la ou acariciá-la contra o próprio corpo, e a falar com ela nesse estado estático.

Freqüentemente essas mães me contam que acreditam estarem cuidando direito de seu filho, ao se encontrarem em harmonia com seus próprios sentimentos. Essa segurança, contudo, dura apenas até surgirem perturbações comportamentais sérias. Pois, por trás da certeza dos sentimentos, pode-se esconder também uma necessidade de recuperação neurótica e uma segurança ligada ao instinto. Uma necessidade de recuperação como essa era o caso da mãe de Alexander. Por ter tido pouco aconchego quando criança, transferiu essa necessidade ao caçula adorado, satisfazendo a si mesma ao protegê-lo de decepções, em vez de mimar a si própria. Certamente estava em harmonia com seus sentimentos, mas não mais com os instintos, ao esquentar de dez a vinte vezes por noite a mamadeira para o menino e deixando-o dormir no quarto dele, longe da cama dos pais. Necessidades de recuperação semelhantes e, simultaneamente, distanciamento do que é guiado pelo instinto obscurecem a visão da maioria dos pais. Não sabem mais se o *rooming-in* deveria ser feito apenas durante o dia ou à noite e durante o dia. Alguns acham que só pode ser feito alguns dias depois do parto. O maior medo dos pais concentra-se no desprendimento da criança, antes mesmo de ela aproveitar o vínculo com eles na cama. Ficam felizes quando o bebê, logo após sair da maternidade, dorme a noite toda sozinho em seu quarto. Mas essa alegria transforma-se em seu maior medo quando a criança acorda: o que fazer? Pode-se consolá-la? Basta a voz da mãe, sem tocá-la, ou deve-se pegá-la nos braços, ou até mesmo levá-la para a cama? Será que depois disso a criança ainda vai querer dormir na própria cama? Os avisos das avós parecem assombrações: "Se você levar a criança hoje para a cama, nunca mais se livra dela!"

Mesmo se uma mãe de um círculo cultural ainda mais primitivo tivesse as mesmas necessidades neuróticas de recuperação, encontraria rapidamente um corretivo nas regras tradicionais de seu meio para o modo como cuidar da criança. Da mesma forma que todas as mães da família grande, deitaria a criança de um determinado jeito na rede, ao lado de sua cama, ou a ataria a seu corpo. Esse corretivo natural não existe mais em nossa sociedade individualista e estilhaçada. Não existe mais uma grande família. As conversas com o vizinho tornam-se cada vez mais raras. O indivíduo torna-se inseguro devido a uma carga de opiniões discrepantes que recebe por intermédio dos meios de comunicação de massa. Se esta ou aquela opinião poderia ser decisiva, não é possível mais julgar sem ressalvas, pois o autor permanece anônimo na maioria dos casos. Não se sabe se seu posicionamento vem apenas da imaginação ou se foi sentido de forma realmente intuitiva.

Quanto menos – para nosso grande prejuízo – pudermos confiar em nossa intuição, tanto mais precisaremos conhecer as necessidades instintivas da criança, suas crescentes possibilidades de assimilação cognitiva e o desenvolvimento de sua personalidade. Sem esse conhecimento, não estaremos em condição de poder oferecer à criança o que lhe é devido em cada uma das etapas de seu desenvolvimento. Esses temas só passaram a ser objeto da ciência com relativo atraso. As pesquisas de René Spitz, John Bowlby e Donald W. Winnicott colaboraram para que se obtivesse uma melhor compreensão do mundo de experiências do bebê. H. F. Harlow aproximou-se ainda mais das necessidades instintivas ao provar, por intermédio de experimentos com macaquinhos, que para o bebê agarrar-se à mãe tem uma importância primária e o ato de mamar, secundária.

De forma revolucionária e própria, seguiram os mesmos passos Annemarie Dührsen, Theodor Hellbrügge, Christa Meves, Bernhard Hassenstein, entre outros. Apenas nas décadas de 1970 e 1980 a ciência despertou para o fato de que o relacionamento entre mãe e filho começa antes do nascimento e deve continuar imediatamente após o parto. Alguns nomes da ainda modesta lista de cientistas devem ser mencionados: Gustav H. Graber, Hanus e Mechthild Papoušek, Anneliese Korner, Thomas Verny, Sepp Schindler, Stanislav Grof, entre outros.

O novo conhecimento infiltra-se muito vagarosamente no mundo científico. A defesa dos pensadores das ciências exatas ainda é grande, pois encontraram sua certeza apenas em dados e métodos que se baseiam em previsibilidade exata. Mas como é possível examinar com exatidão uma experiência de amor, aconchego e da dor de uma separação? Se dividirmos o sentimento em partes mensuráveis isoladas como a duração do olhar, a sensibilidade profunda ao abraçar, a quantidade de lágrimas e similares, obtemos apenas os componentes acessórios, mas de forma alguma o conjunto. Porém, o conjunto é muito mais do que a soma dos elementos avulsos. Cada vez menos esses especialistas conseguem passar à prática aquilo que ainda não examinaram. E assim, o gato morde o próprio rabo.

Por parte dos especialistas, foram basicamente apenas os práticos, como Fréderick Leboyer, que ousaram romper o dique em favor da linha branda, apoiando a iniciativa renovadora dos pais. No entanto, isso ainda não basta para uma orientação ampla, quando se trata de problemas educacionais isolados e de acompanhamento, além do parto natural, sem a separação da mãe e do bebê.

Velhas tradições foram destruídas pela sociedade tecnocrata e novos caminhos ainda não foram descobertos. Quem se admira com o fato de alguém se perder nessa terra de ninguém?

A etapa do desenvolvimento em que surge a tirania

Entre 5 e 22 meses, a criança encontra-se numa determinada etapa do desenvolvimento de seus sentimentos, de sua percepção, do domínio do corpo e do raciocínio. Quanto a isso, expressam-se, sobretudo, o sentimento de onipotência própria e o prazer de dominar seu ambiente.

Sem uma descrição detalhada das circunstâncias sob as quais essa etapa evolutiva principia e se modifica, nem ela, nem suas perturbações e os auxílios contra elas seriam passíveis de conhecimento e compreensão. Por essa razão, peço ao leitor que se disponha a deixar-se conduzir por uma parte da psicologia do desenvolvimento da criança.

Para a compreensão do desenvolvimento infantil, faz-se necessária uma *visão integral*, já mencionada nos capítulos anteriores. A criança consiste não apenas em tendências isoladas, em aceitação e assimilação de estímulos, em sentimentos e em seu sensório psíquico, em processos neuroquímicos e sua capacidade de locomoção, mas também em todos esses e outros componentes e suas ligações variáveis entre si, "entrelaçados" num sistema dinâmico e sempre único. Do conjunto dessa personalidade faz parte também sua *relação com o ambiente*, o modo de sua adaptação e imposição. Outra dimensão absoluta do conjunto é a do tempo, no qual todos os processos evolutivos amadurecem gradativamente numa *ordenação hierárquica das etapas*. O desenvolvimento amplo de um nível superior só pode iniciar-se depois que o anterior foi concluído ou estruturado sem lacunas. Isso vale tanto para o desenvolvimento da capacidade sensório-motora e do raciocínio quanto para o desenvolvimento dos sentimentos e da capacidade de relacionamento. Nenhuma etapa acaba. Cada uma é enriquecida pela superior – da mesma forma que as raízes não desaparecem quando o tronco cresce para cima.

Seguindo esses princípios e pressupondo a compreensão do leitor, procuro integrar as perspectivas dos etologistas e antropólogos Irenäus Eibl-Eibesfeldt, H. F. Harlow, Bernhard Hassenstein, Konrad Lorenz, Adolf Portmann, Niko Tinbergen, entre outros, dos psicanalistas Michael Balint, John Bowlby, Erik Erikson, Sigmund Freud, Arno Gruen, Margaret Mahler, René Spitz, Donald W. Winnicott, entre outros, e dos psicólogos do desenvolvimento Félicie Affolter, Heinz Herzka, Jerome Kagan, Hellgard Rauh, Jean Piaget, entre outros, a fim de sensibilizar o leitor para a situação da criança em questão.

Para melhor visualização, apresento o esquema 1. As indicações de idade são apenas aproximadas, pois cada criança difere quanto a sua inteligência, seu temperamento etc. Numa criança precoce, a etapa da consciência do eu pode, por exemplo, iniciar-se com um ano e meio, enquanto numa criança com deficiência mental, apenas aos dez anos ou simplesmente não acontecer.

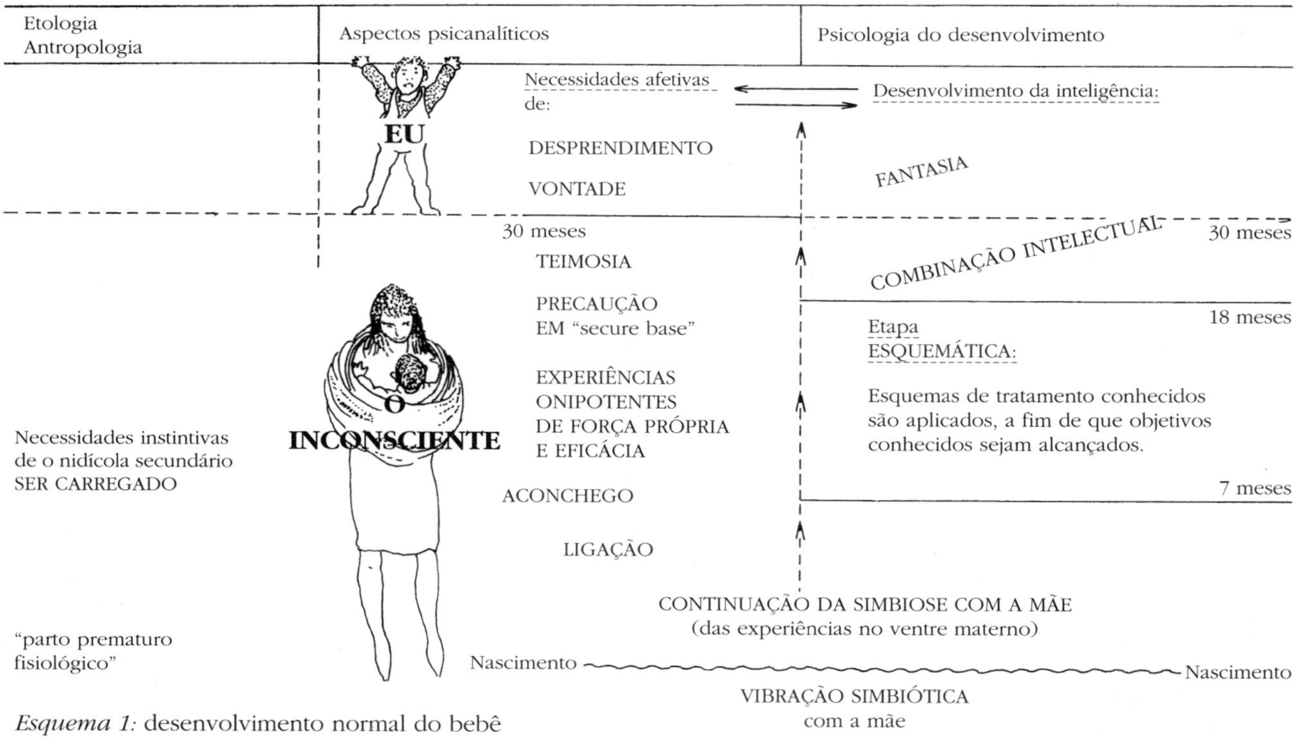

Etologia
Antropologia
Aspectos psicanalíticos
Psicologia do desenvolvimento
EU
Necessidades afetivas de:
Desenvolvimento da inteligência:
DESPRENDIMENTO
VONTADE
FANTASIA
30 meses
COMBINAÇÃO INTELECTUAL
30 meses
TEIMOSIA
PRECAUÇÃO
EM "secure base"
18 meses
Etapa
ESQUEMÁTICA:
EXPERIÊNCIAS
ONIPOTENTES
DE FORÇA PRÓPRIA
E EFICÁCIA
Esquemas de tratamento conhecidos são aplicados, a fim de que objetivos conhecidos sejam alcançados.
O
INCONSCIENTE
Necessidades instintivas
de o nidícola secundário
SER CARREGADO
ACONCHEGO
7 meses
LIGAÇÃO
CONTINUAÇÃO DA SIMBIOSE COM A MÃE
(das experiências no ventre materno)
"parto prematuro
fisiológico"
Nascimento
Nascimento
VIBRAÇÃO SIMBIÓTICA
com a mãe

Esquema 1: desenvolvimento normal do bebê

É muito importante para o desenvolvimento da personalidade o fato de no início da vida ter sido possível ou não uma ligação ampla e uma satisfação da necessidade básica de aconchego. É nesse ponto que se fixam os parâmetros para o destino posterior da criança em questão. Pois, sem ligação, não pode haver desprendimento. Apenas depois de conseguir ganhar uma confiança em seu ambiente, a partir do relacionamento com a mãe, é que mais tarde a criança consegue confiar nos outros e em si mesma. Se recebeu amor suficiente, posteriormente também poderá dar amor. Se recebeu o apoio de seus pais, será capaz de desenvolver seu próprio apoio interior e de oferecê-lo aos outros.

O que ocorreu anteriormente? Continuação da simbiose

A confiança no ambiente é transmitida já no ventre materno, por meio do canal primário dos sentidos, o sentido corporal. Devido ao balanço[12] rítmico ininterrupto e à batida cardíaca da mãe[13], a criança percebe a vibração simbiótica com ela. Sob esses estímulos constantes, a cada segundo a criança passa pela experiência de que poderá adaptar-se com segurança à pró-

---

12. Cf. D. Morris: *Liebe geht durch die Haut*, Munique, 1975.

13. Cf. A. F. Korner: "Maternal rhythms and waterbeds. A form of intervention with premature infants", *in*: *Origins of the infants' social responsiveness*, editado por E. V. Thoman, Hillsdale/Nova Jersey, 1979; D. Bürgin: "Über einige Aspekte der pränatalen Entwicklung", *in*: *Psychiatrie des Säuglings- und des frühen Kleinkindalters*, editado por G. Nissen, Berna, Stuttgart, Viena, ²1984.

xima percepção. Uma vez que suas expectativas são realizadas, sente-se protegida e segura.

Se o recém-nascido foi amedrontado e tornou-se inseguro devido a fortes mudanças em suas experiências de vida até então[14], precisa mais uma vez ligar-se a essa união conhecida desde o princípio, sentindo e ouvindo junto ao ventre da mãe a vibração com ela, podendo "infiltrar-se" nela, recebendo dela respostas que imitam suas manifestações de vida e, portanto, sentindo-se compreendido[15]. Essa *continuação da simbiose com a mãe*, bem como do diálogo sutil com ela – que deveria ter início num *rooming-in* ideal –, é necessária para o bebê durante muito tempo, dia e noite, especialmente quando não se sente bem.

E necessita disso mais ainda pelo fato de, ao nascer, ser o mais desamparado entre os mamíferos. Em comparação com nidícolas primários, como filhotes de cachorros e gatos, que após o nascimento já conseguem buscar a teta da mãe sozinhos, o bebê humano é um "prematuro fisiológico". A mesma competência de autonomia alimentar de que dispõem os nidícolas citados, o bebê humano apenas a atinge com 12 a 18 meses. Se a criança já precisa suportar esse "nascimento prematuro", então deveria poder viver a incorpora-

---

14. Cf. *Vorgeburtliches Seelenleben*, editado por G. H. Graber e F. Kruse, Munique, 1973; S. Schindler: *Geburteintritt in eine neue Welt*, Göttingen, 1982; I. Eibl-Eibesfeldt: "Ursprung und soziale Funktion des Objektbesitzes", *in*: J. Bowlby: *Attachment and Loss*, Nova York, 1969.

15. Cf. F. Leboyer: *Geburt ohne Gewalt*, Munique, [7]1992.

W. S. Condon e L. W. Sander: "Neonate Movement is Synchronized with Adult Speech. Interactional Participation and Language Acquisition", *in*: *Science 183*; M. Papoušek: "Wurzeln der kindlichen Bindung an Personen und Dinge. Die Rolle der integrativen Prozesse", *in*: J. Bowlby: *Attachment and Loss*, Nova York, 1969.

ção ao "útero social" junto à barriga da mãe, pelo menos de 12 a 18 meses, que é o tempo necessário para a recuperação dos nidícolas primários. Além disso, seria, contudo, necessário avaliar novamente o mesmo período para se chegar ao tempo de que um nidícola precisa em seu ninho após o nascimento. Transferido para a vida humana, isso duraria até a idade de dois anos e meio – portanto, praticamente no mesmo período em que acontecia e acontece nos círculos culturais menos civilizados, onde, por necessidade ou por tradição, a criança pequena é carregada junto ao corpo da mãe ou de outra pessoa de seu relacionamento.

Para isso existe ainda outra perspectiva etológica, mais adequada à espécie humana. Embora o bebê humano seja mais desamparado do que os nidícolas primários, encontra-se munido de informações genéticas mais elaboradas quanto aos reflexos que lhe permitem agarrar, quanto às atividades manuais; ao andar ereto e ao raciocínio. Têm não apenas a necessidade de "ficar acocorados no ninho", mas também de serem movimentados, presos ao corpo da mãe. Isso ocorre mais facilmente se a criança é carregada. Segundo Adolf Portmann e Bernhard Hassenstein, o homem pertence à espécie dos "*carregados*".

Necessidades afetivas: o que uma criança vivencia no "canguru"

Como já mencionado, desde sempre e em qualquer lugar do mundo, os pais perceberam a chance mais natural de satisfazer os instintos do bebê, carregando-o no "canguru", movimentando-o na rede ou ninando-o no berço. Dependendo da tradição, as crianças são carregadas até a obtenção da identidade do eu – com aproximadamente dois até dois anos e meio –, e algumas são tão bem presas ao "canguru" que nem conseguem libertar as mãos para agarrar. Surpreendentemente, essas crianças recuperaram rapidamente o desenvolvimento da habilidade manual e do corpo, estando depois bem à frente das crianças que podiam se movimentar livremente.

Quanto à habilidade de pequenos indígenas, por exemplo, quase ninguém teria dúvidas. Mesmo o desenvolvimento psíquico, apesar da aparente repressão de estímulos, é muito bom. Grande celeuma causou, na década de 1960, uma pesquisa sobre a educação infantil numa tribo do sul do México. Embora até o primeiro ano de vida as crianças ficassem amarradas à mãe praticamente o dia inteiro, sendo impedidas de engatinhar e de agarrar outros objetos que não o próprio corpo ou as vestes da mãe, e embora tivessem pouca oportunidade de observar o ambiente ao seu redor, por estarem envoltas em panos ao serem carregadas, em testes de desenvolvimento essas crianças apresentaram resultados quase idênticos aos das crianças norte-americanas. Esses resultados impressionam ainda mais, uma vez que os testes haviam sido desenvolvidos para crianças norte-americanas, treinadas justamente para os resultados esperados, entre outros por brinquedos estimulantes, mas também por liberdade suficiente que lhes permitisse experimentar a locomoção[16].

16. Cf. R. Michaelis: "Die Bedeutung der motorischen Entwicklung für die geistige Entwicklung des Kindes", *in*: *Wahrnehmungsübungen*, editado por Fachverband des Diakonischen Werkes der EKD, Stuttgart, 1980.

Ao se fazer uma retrospectiva na história da humanidade, destaca-se o fato de que em todos os milênios do desenvolvimento humano as crianças não foram prejudicadas por terem sido amarradas, nos primeiros anos de vida, ao corpo dos pais.

Para exemplificar, não menciono a tradição de carregar dos chamados "países em desenvolvimento" (como Índia, Etiópia, Guatemala etc.), mas indico a história do menino Jesus: a freqüência com que sua mãe o carregou, podemos apenas supor. Mas sabemos com certeza que teve de ser carregado de Belém para a casa paterna em Nazaré e, de uma maneira mais determinante ainda, na fuga para o Egito. Segundo cálculos históricos, o pequeno Jesus deveria ter dois anos nessa ocasião. Não é necessária muita fantasia para imaginar que ele não podia decidir se seria levado no colo da mãe, se iria a pé, se o burro deveria andar devagar ou depressa, se iriam para algum lugar e para onde. Nem mesmo os pais podiam decidir sobre isso, pois estavam em perigo de vida e era o anjo quem lhes determinava a direção e a velocidade.

Exatamente na época em que carregar era um ato malvisto – e por muitos ainda o é! –, deparamo-nos estranhamente com uma decadência até então desconhecida dos sentimentos humanos e da ética, que se manifesta no crescimento assustador da criminalidade e no acúmulo de doenças psíquicas. Será que o isolamento do homem moderno já principia no momento em que o bebê é isolado do corpo da mãe?

O ato de segurar a criança, segundo Donald W. Winnicott, é o conteúdo básico de uma assistência ao bebê, dada pela mãe. Trata-se aqui tanto do ato de segurar real e físico, como de todas as medidas ambientais necessárias para uma convivência. Quanto a isso, a criança tem muitas *experiências-chave*, sobre as quais poderá construir sua existência enquanto pessoa:

– A satisfação de suas necessidades básicas de alimentação, mas principalmente de consolo previsível e de proteção ao ser segurado, representa para a criança a confiabilidade nos pais e dá-lhe a ligação[17] e o aconchego[18] de que necessita.
– Ao provocar uma resposta dos pais, previamente audível, a suas manifestações de vida e como regojizar-se, mastigar alto e gargarejar, a criança sente-se compreendida.

A partir disso, pode-se perceber que a criança não se encontra numa "dependência impotente" dos pais, como Balint acreditava, por meio da qual experimentaria uma fraqueza. Embora dependa do cuidado, a criança determina a *adaptação recíproca* e a comunicação em conjunto com os pais, até com uma expectativa incondicional. Arno Gruen acrescenta: "A dependência do bebê, aninhada na vivacidade e na alegria da mãe, não é sentida como ameaça e pressão. Para a criança, ela conduz à descoberta de estar sendo ajudada a captar e a alcançar o mundo."[19] O *aprendizado da disponibilidade de adaptação* é uma necessidade biológica essencial, uma premissa para mais tarde poder impor-se. Alguns exemplos: uma árvore deve

---

17. Cf. J. Bowlby: *Attachment and Loss*, Nova York, 1969; E. H. Erikson: *Identität und Lebenszyklen*, Frankfurt, 1976.

18. Cf. F. Renggli: *Angst und Geborgenheit*, Reinbek, 1976; *Bindungen und Besitzdenken beim Kleinkind*, editado por Ch. Eggers, Munique, Viena, Baltimore, 1984; *Psychiatrie des Säuglings- und des frühen Kleinkindalters*, editado por G. Nissen, Berna, Stuttgart, Viena, ²1984.

19. A. Gruen: *Der Verrat am Selbst*, Munique, 1986, p. 87.

primeiro adaptar-se às condições do solo e do clima, antes de poder dar frutos. Um imigrante deve adaptar-se à língua, aos costumes e ao mercado de trabalho, a fim de se integrar no novo país.

Sem poder decidir por si mesmo a proximidade, a velocidade do contato físico ou o tipo de alimentação e, embora talvez isso lhe seja desagradável, pois tem dor de barriga ou fome e, mesmo assim, é apenas segurado ou ninado pela mãe, a criança aprende a *exercitar a renúncia, a suportar frustrações, a viver a própria ira e o próprio medo e finalmente a sentir satisfação junto à mãe, a esperar, a se sentir amada mesmo que incomode etc.* Experimenta os *altos e baixos de um relacionamento*, pode *expressar seus sentimentos* e volta sempre ao porto aconchegante do amor. (Aquele que não viveu as experiências citadas junto ao corpo da mãe pode recuperar mais tarde, porém não sem muito esforço e por meio de psicoterapia e treinamento de comunicação, o princípio de que as "perturbações têm prioridade".)

Pelo fato de o consolo e o estímulo perdurarem além da resistência da criança e de ela ser barrada em suas atividades por causa da limitação do ninho, ela sente os pais como os mais fortes, os superiores. Pode sentir-se realmente segura sob a autoridade primária dos pais, respeitá-los e tê-los como exemplo.

Na altura do olhar da pessoa de referência que a carrega, a criança pode observar todas as modificações não confiáveis do ambiente: o fogo, a tempestade, os acontecimentos na feira, os animais, as pessoas estranhas e assim por diante. Tendo o consolo e o estímulo do colo da pessoa de referência, aprende a suportar as situações inquietantes sem medo ou com medo suavizado. Quanto mais capacidade a criança tiver para diferenciar entre pessoas conhecidas e estranhas, tanto mais ela se conscientizará do medo de estranhos e da dor da separação. Com esse estranhamento surge a necessidade de distância de estranhos e a procura ativa por refúgio junto a conhecidos protetores[20].

Na presença imediata dos pais, a criança aprende a princípio apenas por intermédio da observação desses acontecimentos diversos. Aumentando suas forças físicas e psíquicas, desenvolve a vontade de imitar e de ter atividade própria. Pouco a pouco quer ser tão grande quanto os outros e fazer as coisas exatamente como os grandes, por exemplo vestir-se sozinha e comer sozinha. Da simbiose prévia, instintiva, psicofísica, resulta uma qualidade superior da identificação entre criança e pais, que prepara a capacidade para a solidarização consciente.

A partir dessa posição segura junto aos pais – Ainsworth a chama de "secure base"[21], que pode ser traduzida como "base segura" ou "ponto de apoio seguro" e comparada ao sentido do termo "ninho" –, a criança desenvolve não apenas a curiosidade imitativa, mas também a ativa. Para tanto, utiliza primeiramente esquemas de ações simples, que sempre conduzem a um fim previsível: por exemplo, puxa os óculos do pai, para ouvir "Achou!" (vide "etapa esquemática" na coluna "psicologia do desenvolvimen-

---

20. Cf. R. Spitz: *Die Entstehung der ersten Objektbeziehungen*, Stuttgart, [3]1973; H. Rauth: "Frühe Kindheit", *in*: R. Oerter e L. Montada: *Entwicklungspsychologie, Ein Lehrbuch*, Munique, Viena, Baltimore, 1982.

21. Cf. M. Ainsworth: "Attachment and Dependency. A Comparison", *in*: *Attachment and Dependency*, editado por J. L. Gewirtz, Washington D.C., 1972.

to", no esquema 1). Pouco a pouco, sente-se onipotente por não ter ainda outro referencial e por achar-se o centro do mundo. Gradativamente, combina mentalmente tais esquemas de ação experimentados, a fim de atingir novas metas e de encontrar desvios. Um exemplo: para chamar a atenção da mãe, que no supermercado está conversando demais com a vendedora, a criança joga as latas de leite da prateleira no chão. Quer saber se suas tentativas de conquista agradam aos adultos ou não e constata que estes nem sempre reagem da mesma maneira, mas com expressão variada de sentimentos. Começa a compreender e a agir em conformidade, mas também de maneira contraditória, pois quer cansar e reconhecer os *limites da capacidade de resistência* dos adultos, como também *a própria força e capacidade de resistência*. Começa a *teimar*.

A fim de juntar forças para novos empreendimentos, para lançar a ponte do *inconsciente* para o eu e depois conseguir sentir-se como eu, que usa a *vontade* para ser "tããão grande" como os outros, para brincar, falar, cuidar de si mesma como os outros, para limitar o eu do você e desenvolver uma vontade para o *desprendimento*[22], a criança quer não apenas espaços crescentes de liberdade que atendam suas decisões, mas também sempre a precaução na "secure base".

A criança só vai estar em condições de amar e respeitar os pais se em todas as ocasiões mencionadas souber que no lar também é *incondicionalmente amada e respeitada*. Então recebe como "dote" para a vida

---

22. W. Schiefenhövel: "Bindung und Loslösung – Sozialisationspraktiken im Hochland von Neuguinea", *in*: J. Bowlby: *Attachment and Loss*, Nova York, 1969.

um *amor* social *próprio* e um *sentimento* social *de valor próprio*. Se na "secure base" a criança pôde experimentar a *autoridade*, para ela ainda não totalmente compreensível, porém *protetora, condutora e afetuosa*, poderá posteriormente reconhecer mais facilmente outras autoridades, às vezes até sentidas como desagradáveis, como a disciplina escolar, as regras gramaticais e outras obrigações semelhantes. Acredito que a *crença em princípios mais elevados*, bem como a disposição de confiar neles, esteja justamente ancorada no colo dos pais.

Como se reconhece a fase do desenvolvimento, crítica para o surgimento da tirania?

As características mais importantes da etapa crítica do desenvolvimento são, de um lado, o início da capacidade de imaginar e da ação orientada, de outro, o primeiro entendimento de seqüências temporais, com destaque para o fato de que são empregados apenas meios conhecidos em situações conhecidas segundo esquemas determinados, a fim de atingir uma meta conhecida.

Aproximadamente a partir do quinto mês, a criança encontra-se na fase de desenvolvimento que corresponde ao seu "nascimento fisiológico". Alguns de seus modelos de movimento e seu modo de curiosidade lembram realmente o comportamento de filhotes de animais que querem afirmar-se "no ninho".

A criança senta, arrasta-se, engatinha, ergue-se segurando em móveis, aprende pouco a pouco a andar. Já consegue agarrar com segurança, mas ainda não sabe soltar, de modo que, por um bom tempo, não é capaz de ocupar-se com mais de um objeto. Examina objetos com os quais pode fazer os mesmos movimentos com as duas mãos, como segurar uma bola, dar-lhe palmadas, ou apenas com uma das mãos. Como um gatinho curioso com suas patas, a criança explora todos os orifícios com a ajuda das partes de seu corpo, confrontando-se pela primeira vez, de maneira consciente, com resistências materiais e esforço físico próprio: enfia os pés, os dedos, a cabeça nas frestas entre os colchões, entre as barras do berço, na abertura da mamadeira, nos bolsos do paletó do pai, no decote da avó, na boca e nas orelhas da mãe. Ela transfere uma atividade determinada e conhecida a muitos outros objetos: esvazia, atira objetos longe de si, puxa a corda de um relógio de brinquedo, a barba do avô, a ponta da toalha de mesa, tendo como efeito sempre uma reação diferente.

A interação com suas pessoas de referência também é marcada por esse entendimento de concatenações seriadas. Se uma série dessas é repetida várias vezes, a criança pode imaginar o que irá ocorrer na "segunda parte" e esforça-se em provocar o esperado "final feliz". Por exemplo, no colo do pai espera que o "upa upa" passe para "caiu!". Puxa o lenço da mamãe para ver seu rosto e ouvir o "achou!".

A capacidade imaginativa para os próprios movimentos possibilita à criança imitar determinados gestos ensaiados, conduzidos pela mão, sem que possa vê-los ou ouvi-los realmente, por exemplo acenar ao dizer "tchau" ou responder com um movimento à pergunta "Quantos anos você tem?"

Aproximadamente a partir do 12º mês até perto dos 22 meses de idade, a criança, em suas descobertas, ultrapassa os filhotes de animais. Descobre o comportamento especificamente humano, usando não apenas as partes do corpo, mas também ferramentas para explorar outros objetos. As mãos dividem o trabalho; os dedos avulsos, a dosagem de força e o planejamento da direção tornam-se cada vez mais conhecidos. A princípio, a criança experimenta ferramentas já presas a um objeto ou dentro dele: aperta os botões do rádio ou o interruptor. Os orifícios são examinados com o auxílio de objetos: entre as grades do berço são enfiados o ursinho, a bola, a mamadeira. As coisas são enfiadas umas nas outras ou umas sobre as outras: um jogo de canecas, anéis em um cabo, bolachas na boca da mãe, uma bola no penico etc.

Também com vistas à imitação e à capacidade comunicativa, a criança atinge uma etapa disponível apenas nos seres humanos. Ela imita inclusive movimentos que lhe são novos e para os quais não necessita de condução pela mão nem controle visual. Sendo assim, começa a imitar a linguagem corporal e a mímica da pessoa de referência, podendo não apenas comunicar-se, mas também compreender o sentimento alheio. Um exemplo: a criança acredita que a mãe ficará contente se jogar no chão as latas de leite da prateleira do supermercado, mas vê seu rosto assustado, imita-o e constata que o você tem um sentimento diferente do seu eu. É também por esse intermédio que a criança começa a se delimitar em relação aos outros.

Nessa época aprende a falar, mostra o que tem, manifesta desejos. Como quer fazer coisas tão maravilhosas como os grandes, imita suas seqüências concretas de ação: pega panelas e colheres de pau para cozinhar, pega o gancho do telefone e disca um número.

Apenas mais tarde, a partir do surgimento corajoso – corajoso porque não corresponde às expectativas – da disposição para assimilar novos contextos é que nasce a força criadora, que se expõe a medos, busca novos caminhos e consegue amar a vida na total amplitude de seus contrastes.

Esse início do ato de sentir-se no outro posteriormente converge para uma capacidade intuitiva, feita de um sentimento sutil e recíproco: eu sinto que você tem problemas, mas sei também que você sente que eu me coloco no seu lugar e que estou ao seu lado[23].

O importante é que essas mudas delicadas estejam bem enraizadas e possam crescer em condições favoráveis. A muda a que o jardineiro se adapta totalmente, protegendo-a de mudanças de temperatura e do tempo por meio das paredes da estufa e controlando as condições do solo, provavelmente não se tornará uma arvorezinha vigorosa, que pode ser colocada ao ar livre.

---

23. Cf. *Bindungen und Besitzdenken beim Kleinkind*, editado por Ch. Eggers, Munique, Viena, Baltimore, 1984.

Distúrbios do desenvolvimento da personalidade na criança pequena

Os efeitos que um desenvolvimento perturbado da personalidade da criança pequena pode ter sobre os pais é o que mostra, de forma bem explícita, o escritor suíço de sátiras, Franz Hohler. Embora muito do que escreveu possa parecer exagero, em sua essência, este episódio retrata a situação da criança despótica e de sua família[24].

"Conheço o caso de uma criança que, logo depois de completar um ano, não quis comer mais nada. Quando queriam servir-lhe seu alimento, que na maioria das vezes consistia de um mingau, atirava as mãos diante do rosto, sacudia a cabeça e virava-se, impedindo que a colher chegasse à sua boca. Mas quando conseguiam dar-lhe o alimento, cuspia tudo imediatamente e começava a gritar. A única coisa que tomava era um pouco de água, mas quando em vez desta lhe era oferecido leite, não queria mais saber de beber.

Os pais estavam preocupados e não conseguiam explicar essa repentina mudança. Inicialmente, tenta-

---

24. Franz Hohler: *Der Rand der Ostermundigen, Geschichten*, Neuwied, [8]1984.

ram convencer a criança a aceitar o mingau, depois partiram para as ameaças e palmadas, mas foi em vão. Colocaram diante dela uma banana, que, em outra circunstância, não teria deixado de comer, mas não a pegou. Apenas uma casualidade levou a uma solução. O quarto da criança era fechado por uma grade pantográfica, presa ao batente, para que a criança não saísse do quarto mesmo com a porta aberta e para que os pais pudessem ouvir o que fazia. No terceiro dia da recusa de alimento, o pai quis passar o mingau à mãe, que já estava no quarto para colocar a criança na cama, quando esta correu para a portinhola, olhando com vontade para o prato. Imediatamente o pai debruçou-se e começou a dar-lhe o mingau por cima da portinhola, e a criança, que se segurava nas grades e cuja cabeça mal ultrapassava a altura da portinhola, parecia satisfeita, comendo todo o mingau. Na manhã seguinte, antes de ir ao trabalho, o pai deu de comer à criança da mesma forma, e ela não mostrou a menor resistência. Mas quando a mãe quis dar-lhe de comer na hora do almoço, servindo-lhe o mingau por cima da portinhola, a criança saiu correndo e ficou fechando e abrindo com força a tampa do seu baú de brinquedos até a mãe se afastar da porta. À noite, aceitou o mingau do pai sem problemas, por cima da portinhola.

Voltou a comer, mas o fato de querer ser alimentada apenas pelo pai era um problema. Independentemente de receber apenas duas refeições por dia, não era nada fácil para o pai chegar toda noite pontualmente para dar de comer à criança. Por causa de sua atividade profissional, tinha de se afastar muitas vezes da cidade onde morava. Certa vez atrasou-se um pouco e ouviu que ela já gritava. Jogou o casaco sobre uma cadeira, foi ao quarto dela e deu-lhe de comer. Só depois percebeu que esquecera de tirar o chapéu. Na manhã seguinte, quando foi ao quarto da criança, ela não quis comer, porém ficou apontando continuamente para a cabeça do pai. Então ele se lembrou da noite anterior, foi buscar seu chapéu e colocou-o. Satisfeita, a criança deixou que lhe desse o mingau. A partir de então, o pai tinha de estar sempre de chapéu se quisesse que ela comesse.

Até então a mãe sempre estivera presente quando a criança recebia sua comida, mas uma manhã, depois de ter dormido mal à noite, ficou na cama, pois o pai se oferecera para cuidar sozinho da criança. Porém, esta se recusou a comer o mingau sem a presença da mãe, e o pai não teve outra escolha a não ser buscá-la. De camisola, a mãe ficou sentada numa cadeirinha.

Na mesma noite, a criança defendeu-se aos gritos contra a obrigação de ter de comer seu mingau, embora tudo estivesse em ordem. O pai estava do outro lado da portinhola, com o chapéu na cabeça, e a mãe também estava presente. Contudo, usava um vestido e, como a criança apontava insistentemente para ela, a mãe acabou vestindo a camisola e voltou ao quarto. Mas a criança só sossegou depois de a mãe sentar-se novamente na cadeirinha, olhando para ela enquanto comia.

A partir de então, a mãe tinha de colocar a camisola na hora das refeições, caso contrário, nem pensar em comer.

Logo a criança não se deixou mais levar por acontecimentos casuais, que queria que fossem repetidos, mas começou a imaginar ela própria novas exigências. Sendo assim, certo dia, olhando para sua mãe, apontou para o guarda-roupa do quarto. A mãe foi em direção a ele e quis abri-lo, mas a criança começou a berrar, apontando para o alto do guarda-roupa. A mãe disse não, isso não faria, então a criança deitou-se no chão, esperneando e gesticulando, soltando gritos estridentes, extremamente repulsivos. Mesmo assim, os pais decidiram não atender a esse desejo da criança, que teve de ir para a cama sem comer. Esperavam que até a manhã seguinte já teria esquecido essa idéia.

Quando na manhã seguinte a mãe sentou-se de camisola na cadeirinha e o pai ficou de chapéu diante da portinhola, querendo alimentar a criança, esta recusou novamente, apontando para o alto do guarda-roupa. Os pais não realizaram seu desejo, e ela nada comeu.

Após dois dias, já mostrando sinais de fraqueza, pois não havia ingerido nada além de água, os pais cederam e a mãe, de camisola, subiu no guarda-roupa, deitando-se em cima dele. Depois disso, a criança comeu seu mingau com grande entusiasmo, assegurando-se sempre com o olhar de que a mãe estava realmente olhando-a comer. Após essa derrota, os pais ficaram muito abalados, antevendo com medo o que ainda estaria por vir. Podemos nos questionar se seu comportamento era correto, mas não viam outra saída para evitar que a criança morresse de fome. A pediatra, que sempre decidia a favor das crianças e contra os pais, recomendou insistentemente ceder aos caprichos da criança, pois sua alimentação era mais importante que a tranqüilidade dos pais. Um psicólogo infantil, conhecido do pai, também não soube ajudar. Falou de uma fase de birra um tanto quanto precoce e deu vagas esperanças de que seria passageira.

Não havia, porém, nenhum indício de que se tratasse realmente de uma fase passageira, pois, em outra ocasião, correu para a janela e ninguém conseguiu tirá-la de lá. O pai apontou para a mãe, que estava devidamente deitada de camisola em cima do guarda-roupa, mostrou seu chapéu e quis dar-lhe de comer por cima da portinhola, mas a criança sacudia todo o corpo, segurando com ambas as mãos no peitoril da janela. O pai não quis acreditar, mas sabia o que aquilo significava. O quarto ficava no primeiro andar. Ele pegou a escada no porão, encostou-a do lado de fora da casa, subiu até o quarto da criança e deu-lhe de comer através da janela aberta. A criança estava radiante e comeu tudo.

No dia seguinte, chovia, e o pai subiu na escada com um guarda-chuva. Daquele momento em diante, tinha de ir até a janela sempre de guarda-chuva, não importando o tempo, caso contrário, o mingau não era comido.

Nesse ínterim, a fim de descansarem um pouco, os pais contrataram uma doméstica. A criança a rejeitava totalmente, deixando-se cuidar apenas pela mãe. Inclusive a esperança de que a empregada poderia deitar-se no guarda-roupa com a camisola da mãe foi por água abaixo. A criança quase teve um ataque de fúria por causa da tentativa grosseira de iludi-la. No entanto, quando a empregada queria sair do quarto, a criança também não concordava. A empregada tinha de ficar junto à portinhola, assistindo a criança comer, e isso também não foi suficiente. Só comia quando a empregada sacudia um chocalho após cada colherada que engolia.

Isso, poderíamos supor, era quase o cúmulo, mas a criança começou a empurrar o pai toda vez que ele se debruçava sobre o parapeito, e também a jogar para baixo o prato de mingau que ele colocava sobre o peitoril. Ao pai nada mais ocorreu a não ser comprar uma escada bastante alta de quatro pernas. Colocou-a a uma certa distância do muro da casa, subiu e deu o mingau à criança com uma colher fixa a uma vara de bambu. Para poder mergulhar a colher no mingau, tinha de esticar totalmente o braço esquerdo com o qual segurava o prato, não podendo, portanto, apoiá-lo na escada. Porém, visto que não podia aparecer sem guarda-chuva nem segurá-lo com a mão, como havia feito até então, fabricou uma armação de arame para colocar no ombro e que servia para sustentar o guarda-chuva, de forma que este era mantido aproximadamente na mesma altura sobre sua cabeça, como se o estivesse segurando com a mão.

Um vizinho, que nesse momento dirigiu seu binóculo para a casa, viu, portanto, o seguinte:

De pé sobre uma escada de quatro pernas, do lado de fora do primeiro andar da casa, o pai, através da janela, dá o mingau à criança com uma colher presa a uma vara de bambu. Além disso, está com um chapéu na cabeça e usa um guarda-chuva preso a uma armação de arame, amarrada ao ombro. A mãe está deitada de camisola em cima do guarda-roupa, e a empregada está diante da grade presa no batente da porta. Ambas olham a criança comer, e a empregada sacode um chocalho a cada colherada que a criança engole.

Apenas quando todas essas condições são preenchidas, e somente então, é que a criança come."

Se o desenvolvimento da criança desvia-se das regras citadas, os distúrbios ocorrem obrigatoriamente. A defesa contra os distúrbios também se processa segundo determinados princípios. A fim de nos colocarmos no lugar da criança atingida pela tirania, examinemos mais detidamente dois desses princípios:

- o princípio, segundo o qual surge a dependência viciosa, bem como
- o princípio, segundo o qual surge o bloqueio do desenvolvimento da personalidade e da inteligência.

O princípio segundo o qual surge uma dependência viciosa

As necessidades básicas têm de ser satisfeitas e não podem permanecer insaciadas. Isso vale em primeira linha para *a necessidade básica de aconchego e ligação*, pois essa necessidade é idêntica ao instinto de autopreservação. Todavia, na vida é inevitável que, nesse sentido, ocorram alguns "pecados de omissão". Seus efeitos também fazem parte de um corretivo natural no desenvolvimento.

Cada círculo cultural contém seus próprios perigos, por exemplo o cuidado da criança por intermédio de pessoas de referência em constante troca como substitutivo da mãe em famílias ricas; a colocação das crianças em instituições maternais integrais, conduzidas segundo regras ideológico-sociais, como ocorre nos países do Leste europeu. Lembremo-nos dos cuidados infantis usuais de aproximadamente 1900 a 1975. Nossas mães seguiam com a melhor das intenções as justificativas científicas modernas, como não consolar um bebê quando estivesse choroso, nem mimá-lo com carinhos.

Gerd Biermann descreve "as crianças-panorama" como "aqueles bebês frustrados que, deitados de bruços em carrinhos de janelas de vidro, com o olhar típico de personagens de histórias em quadrinhos, foram entregues ao nervosismo caótico do trânsito da cidade grande e não tiveram a chance de ver o rosto da mãe."[25]

Da mesma forma, nosso círculo cultural, do qual as crianças passam a fazer parte ao nascer, carrega perigos específicos consigo, relacionados a instintos enterrados, como já mencionado neste livro. Pois, para a modificação de uma característica genética, uma espécie necessitaria de milhares de anos no decorrer da evolução – por exemplo até o homem perder completamente os pêlos. Um tempo igualmente longo seria necessário até que o homem pudesse desistir da sua necessidade de ser carregado e o bebê suportasse o desprendimento logo após o parto. Por outro lado, contudo, as condições de vida modificam-se em conseqüência do progresso técnico de ano para ano. Uma criança extremamente sensível pode ser vítima desse desenvolvimento[26]. Por exemplo, o alto nível da medicina técnica possibilita manter vivo o prematuro nascido no sexto ou sétimo mês de gravidez, ou também o bebê nascido em tempo normal com problemas agudos de falta de oxigênio. Isso se dá ao preço da interrupção precoce da simbiose entre mãe e filho. O total isolamento da criança é substituído por um tratamento conhecido como "intensivo". Por "intensivo"

---

25. G. Biermann: *Kinder und Jugendliche. Entwicklung – Entwicklungsstörungen. Psychohygienische Konsequenzen*, Frankfurt, 1985, p. 21.

26. Cf. M. Balint: *Die Urformen der Liebe und die Technik der Psychoanalyse*, Berna e Stuttgart, 1966.

não se entende a dedicação intensiva da mãe, mas a técnica moderna da incubadeira.

Suponho que outro perigo de nosso tempo possa ser o *rooming-in*, praticado apenas parcialmente em muitas maternidades. Para a criança, apenas durante o dia há um convívio estreito com a mãe. À noite, os bebês são isolados em quartos próprios, onde são acalmados por enfermeiras que se revezam. Temo que esse banho emocional alternado de ligação promissora e previsível durante o dia e de renúncia durante a noite seja mais perigoso do que deixar de praticar o *rooming-in*. Isso porque o bebê tem sempre de passar pela decepção assustadora de que as expectativas realizadas durante o dia deixam de ser realizadas durante a noite.

Conforme sabemos, um trauma psíquico não é ocasionado por uma experiência dolorosa única, mas por uma cadeia de experiências traumatizantes. Uma criança não consegue suportar imperfeições com facilidade, pois ainda não possui noção de tempo, imaginação, nem capacidade de conciliação para poder adaptar-se ao horário de uma instituição, elaborado por motivos organizacionais, nem para conseguir se organizar com ele.

Paralelamente a isso, por toda parte sempre existiram obstáculos não vinculados ao espírito da época, que se colocam no caminho da criança ao nascer: uma doença da mãe ou da criança, a falta de disposição para amar uma criança indesejada, o medo inicial de se ligar a uma criança deficiente, diferentes predisposições de temperamento da mãe e do filho, que tolhem a ligação e a comunicação, entre outros.

Como já mencionado, tais perturbações fazem parte da dialética da vida. As forças para a discussão são desafiadas por meio das contradições. Mas o bebê não está totalmente entregue às perturbações. Ele é dotado de uma disposição biológica de seu organismo para entender mudanças, proteger-se de irritações e mobilizar forças para uma percepção sem perturbações, a fim de restabelecer um equilíbrio homeostático. Colocar em movimento tal estratégia de solução inconsciente é própria de todo ser vivo, seja animal ou humano.

Decisiva para a sobrevivência é a capacidade de resistência com a qual a referida criança possa reagir a uma perturbação em sua respectiva situação de vida. A resistência compõe-se de um conjunto de tendências da personalidade: sensibilidade em geral, além de estímulos desencadeadores de medo, temperamento, vitalidade, talento, experiências vividas até então etc. A estrutura da personalidade é diversamente resistente e vulnerável em vários períodos. Existem as chamadas fases de desenvolvimento "sensíveis". Significativas são as influências do ambiente, a relação com os pais, com os amigos, entre outras. Tudo isso pode refletir-se num retardamento ou aceleramento do desenvolvimento e na formação da personalidade. Por essa razão, a abrangência e as variações da reação à situação traumatizante também são bastante amplas. Numa das crianças, a permanência na maternidade sem a companhia da mãe tem como seqüela uma certa insegurança, mas, por fim, o sentimento positivo de "ter conseguido". A outra criança, na mesma situação, torna-se gravemente neurotizada ou até psicótica.

Nem toda criança, sob influências comparáveis do ambiente, torna-se neurótica. Uma desenvolverá uma consciência de seu valor social, a outra ficará apenas narcisista (apaixonada por si mesma e procurando a admiração alheia), mas não será, necessariamente, uma tirana.

A freqüência com a qual a criança deve repetir o reequilíbrio homeostático depende da intensidade e da duração do medo. O que mais além do previsível pode lhe transmitir a sensação de segurança? Ela faz o que sabe e o que consegue manejar sozinha.

Existe ainda outro motivo para as constantes repetições: a satisfação substitutiva não satisfaz nunca a verdadeira necessidade básica. O estado de "insatisfação" exige renovadamente a reposição do equilíbrio. Este é o círculo vicioso que leva a uma dependência viciosa. O grau de dependência está em estreita relação com o grau de medo. As crianças são especialmente suscetíveis de dependência de satisfações compensatórias. Elas se sentem desprotegidas, pois a necessidade de proteção exige uma satisfação mais forte do que a necessidade de comer e beber. Quanto a esse aspecto, é fácil reconhecer uma ordem de prioridades das necessidades. *Continuamos as experiências de consolo da época de bebê por toda a vida.* Se o experimentamos da forma mais natural, isto é, no colo do próximo até nos sentirmos bem outra vez, prosseguiremos com esse hábito e, em caso de aflição, procuraremos o ser humano mais próximo de nós, do qual podemos esperar a participação afetiva, o auxílio, a solidarização e o alívio da nossa dor. É assim que iremos nos comportar com nosso semelhante entristecido.

O consolo compensatório experimentado também irá prosseguir, sendo que o tipo e a intensidade da necessidade decidirão se disso surgirá um costume passageiro ou duradouro, uma obsessão ou uma dependência viciada. Como mera observação, pode-se mencionar que uma crise surgida na idade adulta pode transformar-se em vício. Gostaria de apresentar alguns exemplos que podem ter como conseqüência um surgimento paulatino da dependência:

– Se em caso de insatisfação ou mágoa a criança recebia normalmente a mamadeira como consolo, é possível que, na idade adulta, necessite da mesma sensação de estar bebendo e dos sentimentos concomitantes ao surgirem problemas. A dimensão do problema será decisiva para a queda no alcoolismo.

– Se ao chorar a criança recebia a chupeta como consolo, faz parte de suas experiências básicas ter de estimular os lábios com um objeto em caso de mágoa. Especialmente pessoas com uma coordenação imatura da motricidade bucal tendem a esse tipo de satisfação compensatória. Se a isso acrescenta-se o medo de perder a mãe, e a chupeta como substituição da mãe não estiver disponível, a criança deverá lançar mão de outros estímulos: põe o dedo ou outras coisas na boca. Mais tarde, em caso de estresse, morde-se o lápis ou fuma-se um cigarro.

– Se a criança aprendeu a acalmar-se apenas quando estava sozinha em seu quarto, mais tarde, como adulto, irá isolar-se quando tiver problemas e tornar-se depressiva. A oferta consoladora em forma de contato físico será sentida como inconciliável, e a pessoa reagirá com fobias de contato a uma oferta desse tipo.

– Se como consolo um objeto foi colocado na mão da criança, e a posse visível e sensível transformou-se em segurança substitutiva, estará aberto o caminho para a dependência do “ter”, do querer possuir.

– Se o primogênito, quando do nascimento de um irmão, aprendeu a sentir-se seguro apenas por meio de ajuda e produção, poderá tornar-se dependente de um comportamento desses, impondo a si mesmo a necessidade de realização. Aliás, freqüentemente encontramos essa problemática entre os primogênitos. Os pais agem com a melhor das intenções quando conscientizam o primogênito das vantagens de sua superioridade, por exemplo dizendo: "O bebê ainda precisa ser alimentado, mas você já sabe comer sozinho; o bebê precisa ser carregado e usa fraldas, mas você já sabe andar sozinho e já usa o banheiro." A capacidade de realização transformada em segurança substitutiva precisa ser mantida. Se for contestada por uma insignificância qualquer, toda a segurança substitutiva rui como um castelo de cartas. Observado mais de perto, o conselho bem intencionado dos pais transforma-se em sofrimento; é uma pressão de realização, à qual a própria criança se submete, a fim de "também" ser amada.

A partir desses exemplos, a vida curta das satisfações compensatórias torna-se evidente: quando são perdidas, a pessoa em questão sente-se "totalmente aniquilada". Quando a compensação por meio de uma substituição não é mais possível, o ser humano fica de mãos vazias, não consegue mais gostar de si mesmo e considera seu ambiente hostil. Um neurótico assim encontra-se em sua vida constantemente numa situação periclitante, carregada de tensões ambivalentes, entre o desejo da segurança substitutiva e a desconfiança desta por causa de sua falta de confiabilidade.

O princípio segundo o qual surge o bloqueio do desenvolvimento da personalidade e da inteligência

As perturbações que ocorrem apenas na etapa das capacidades cognitivas mais elevadas, isto é, somente quando a criança estiver dominando a linguagem, a valorização do próprio eu, a orientação no tempo e no espaço e os auxílios de compensação parecem não ser tão perigosas assim. Pois a criança possui um fundamento confiável para a percepção da realidade, formado no decorrer do primeiro e do segundo ano de vida, ao longo dos processos cognitivos, que dependem da assimilação concreta pelos sentidos e pela motricidade.

Em contrapartida, os distúrbios na etapa prévia da identidade do ego (vide no esquema 1 a etapa do "inconsciente") parecem representar um perigo maior para a criança. Ela ainda não está em condições de ordenar as experiências, de corrigi-las e objetivá-las. Pensa apenas de forma egocêntrica. Por meio da perturbação, surge para a criança, em forma de uma adaptação bastante precoce aos elementos isolados da realidade, uma imagem deformada da realidade complexa. Como conseqüência, tem-se um afastamento da realidade. Um exemplo: a criança dedica-se apenas a uma roda de seu carrinho, sem experimentar as outras possibilidades de brincar. (Mais tarde, exemplificaremos o perigo da percepção restrita com base no autismo.)

Se o bebê transformou a desistência de adaptação ao ambiente em sua segurança substitutiva, irá se fechar a experiências novas e inseguras, bloqueando-se em seu desenvolvimento. Esse bloqueio ocorrerá não apenas no desenvolvimento social, mas também de forma parcial ou completa no desenvolvimento da inteligência. Faz parte do princípio de um distúrbio que uma etapa bloqueada do desenvolvimento não permita a construção da etapa subseqüente. "Toda e qualquer falha da adaptação precoce é um fator traumatizante, perturbador dos processos de integração."[27] A exigência obsessiva de situações de segurança substitutiva, sem deixar alternativas, é de caráter vicioso. Quanto mais cedo a perturbação ocorrer, mais cedo poderá transformar-se em psicose. Nesse sentido, gostaria de citar duas das possíveis falhas no desenvolvimento: o autismo infantil precoce e a tirania.

Ouso a tentativa de uma explicação do autismo a fim de tornar mais compreensíveis os princípios similares de um processo doentio, responsável pela tirania.

A condição para o surgimento do *autismo* é a criança ter uma tendência inata para a doença. Tenta-se descobrir de que predisposições essa tendência é composta. Entre outras, supõe-se uma alta sensibilidade a estímulos causadores de medo, uma preferência pelo raciocínio esquemático-analítico e uma extrema introversão. Se uma criança como essa deve renunciar à ligação após o nascimento, entrando em estresse devido a uma abundância de estímulos, é obrigada a restabelecer sozinha seu equilíbrio homeostático. Faz isso utilizando seus sentidos e sua motricidade – ainda não dispõe de outras capacidades –, a fim de buscar estímulos audíveis, sensíveis, previsíveis e fornecedores de segurança. Esses estímulos, como ouvir a

---

27. Cf. *Vorgeburtliches Seelenleben*, editado por G. H. Graber e F. Kruse, Munique, 1973.

própria batida cardíaca ou a observação da lâmpada na incubadora, servem para a satisfação compensatória e são preferidos. Todos os outros estímulos não previsíveis e causadores de insegurança são evitados e até negados pelo bebê. A partir desse momento, o processo de adaptação é bloqueado. A criança não consegue adaptar-se a novas ofertas de estímulos e por isso não está em condições de aprender.

Uma criança assim prefere, portanto, objetos inanimados, porque estes, segundo determinadas regras, são manipulados pela criança com mais facilidade do que as pessoas. Em vez de encontrar a tranqüilidade na ligação com a mãe, a criança a busca em atividades determinadas e sempre recorrentes, bem como nos objetos e nas manipulações obsessivamente preferidas. Para a criança, isso é o que substitui a ligação.

Sua ocupação espontânea consiste num empenho constante para tornar a si mesma e o ambiente próximo previsíveis segundo regras próprias. A conseqüência disso é um total recuo para dentro de si mesma. Caso deva ocorrer um contato com o mundo externo, este é tratado de forma estereotipada e recorrente. Qualquer modificação inesperada provoca pânico. O desenvolvimento da curiosidade "deixa de progredir já na primeira etapa de desenvolvimento pós-parto". Capacidades como estabelecer o contato pelo olhar, imitação, exploração das alternativas em objetos (etapa intermodal) desenvolvem-se apenas com muitas falhas. Mais problemático ainda é o desenvolvimento da etapa de esquematização. O autista não alcança a combinação intelectual corajosa, disposta a variações, como condição para a disponibilidade de comunicação e para a participação, bem como para a identidade do eu (vide esquema 2).

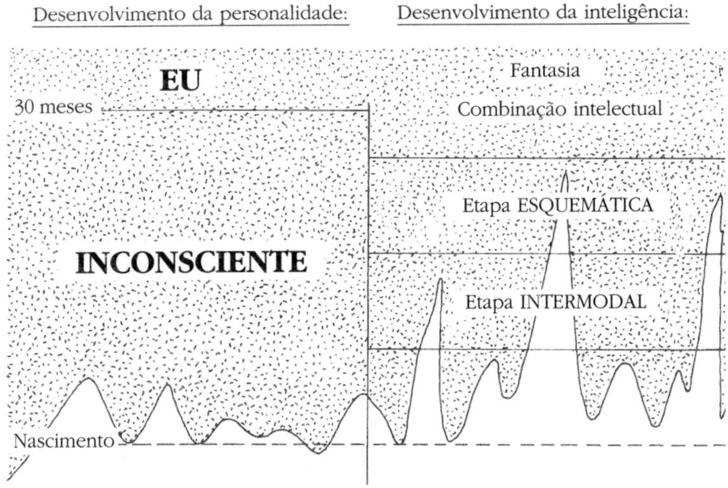

Esquema 2: Bloqueio do desenvolvimento no autismo infantil precoce

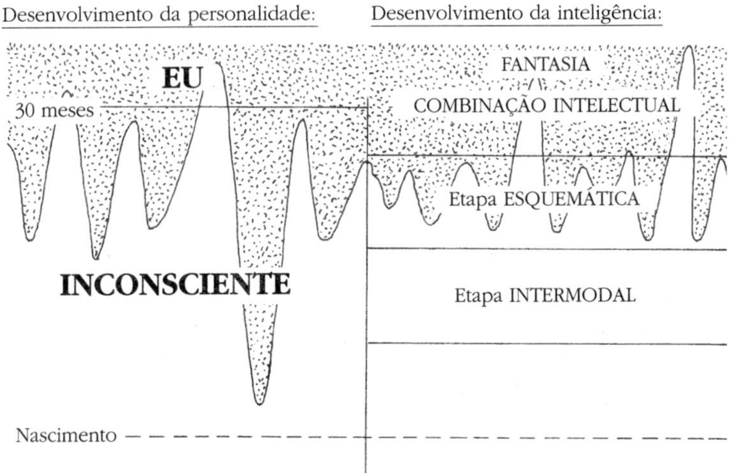

Esquema 3: Bloqueio do desenvolvimento na tirania

Com estímulos intensos – desde que haja um potencial de inteligência oculto –, o autista alcança uma etapa de desenvolvimento similar à do raciocínio esquemático (vide esquema 3). Nessa etapa, seu autismo pode transformar-se numa *autocracia obsessiva, isto é, em tirania.* Isto se processa da seguinte forma: depois de descobrir sua curiosidade para contatos com pessoas, de tentar incluí-las em seu esquema de ações e de conseguir fazer isso com sucesso, o autista precisará incluir o educador em suas obsessões ainda existentes – contudo numa etapa superior.

Além da ilustração do modelo de desenvolvimento hierárquico e dos distúrbios (esquemas 3 e 4), ainda gostaria de acrescentar: os posicionamentos sociais, inclusive a capacidade de comunicação e a disposição à cooperação, permanecem subdesenvolvidos nas etapas nas quais surgiram as falhas do desenvolvimento, e se em etapas superiores de desenvolvimento surgir um distúrbio, "a edificação com falhas apresenta o perigo de ruir". Conseqüentemente, as crianças tendem a tornar seu desenvolvimento retroativo. Voltam às seguranças já conhecidas. Em conformidade com esses princípios processa-se também uma regressão neurótica. Um exemplo: aos três anos, um primogênito dispensa fraldas e consegue usar sozinho o copo para beber. Se começar a sentir-se menos amado por causa de um recente problema causado por irmãos, volta a molhar a cama e exige a mamadeira, como se fosse um bebê. Mesmo em caso de estados de medo posteriores, como o fracasso na escola, regride ao molhar a cama e ao estimular a boca com o polegar, com o lápis, roendo as unhas ou similares.

As causas que levaram o bebê a usurpar o poder

Para o desenvolvimento de sua vontade, o bebê tem um longo caminho diante de si. Somente por volta do segundo ano de vida, em relação à atividade e à teimosia, é que ela se forma. A princípio, no "útero social", o bebê ainda está à mercê de seus protetores, está aninhado num determinado círculo cultural e não tem escolha. Além das variadas nuanças de seu choro ou riso, ainda não sabe expressar seus sentimentos, seja verbalmente ou por outros meios, com comportamentos demonstrativos, porque ainda não dispõe da combinação intelectual necessária para tanto. (Uma criança maior pode indicar sua mágoa por meio do silêncio, um homem pode chamar a atenção de sua mulher para seus problemas por meio do excesso de bebida.) A criança pequena reage imediata e verdadeiramente. Só se pode reconhecer seu estado observando atentamente o seu comportamento e dispondo de uma boa capacidade intuitiva para colocar-se em sua situação. Seus sinais de socorro deveriam ser bem observados, adivinhados intuitivamente e compreendidos pelos pais.

Todavia, podem ocorrer interpretações errôneas se, em vez de se colocarem na situação da criança, os pais partirem de seus próprios sentimentos ("como será que nos sentiríamos se...").

Que pais são esses que permitiram inconscientemente a transformação de seu filho num pequeno tirano?

A partir de sua própria história, para muitos pais atuais, são características as seguintes necessidades de recuperação:

– *Uma necessidade de recuperar o amor* é apresentada especialmente pelas crianças da geração pós-guerra, cujos pais necessitaram de todas suas forças para a reconstrução. A isso acresceu-se o desejo de muitas mulheres de auto-realização e emancipação. Por esse motivo, várias mães (hoje avós) dedicaram-se menos a seus bebês. Confiavam-nos a babás, pais adotivos, creches e similares. Também durante a noite os bebês tinham de se conformar em ficar sozinhos, pois a recomendação geral válida era a de que desde o nascimento não se devia mimar as crianças, mas deixá-las chorar, para que se acostumassem a suportar as frustrações.

– *Uma necessidade de recuperar a liberdade* marca também esta geração. Fazia parte do conceito educacional daquele período uma condução autoritária em direção à obediência de regras, proibições e ordens. Desde seu nascimento, a criança tinha de se acostumar a regras. As refeições eram feitas apenas de acordo com um horário preestabelecido e, ao receber a comida, a criança recebia também suas unidades de carinho. A fase da birra era reprimida por meio de castigos. A criança não ousava mostrar sua raiva ou ira, nem impor sua vontade com palavras ou atos. Os temores diante da expressão espontânea dos sentimentos levavam a inibições que perduravam até a idade adulta. A raiva não vivida represava-se e, caso chegasse a uma explosão – quando alguém, mesmo sem permissão, tomava liberdade para tanto –, surgiam fortes sentimentos de culpa.

Enquanto suas necessidades básicas de amor e liberdade permaneceram insatisfeitas, as crianças tiveram de procurar satisfações compensatórias. Especialmente efetiva mostrou-se a demonstração de realizações. A criança não se sentia incondicionalmente amada, mas somente quando comia bem, quando não chorava e quando obedecia. A criança recebia uma chance de se sentir totalmente aceita a partir do primeiro ou segundo ano de vida, quando começava a falar, a brincar de maneira sensata, a apresentar realizações intelectuais como desenhar, escrever, ler e calcular, ou quando começava a ajudar a mãe. Para esse posicionamento com ênfase na realização, a criança conseguia obter confiantemente sua esperada confirmação no âmbito de sua adaptação a um conceito educacional autoritário-conseqüente. Quanto mais isenta de erros e mais perfeita a realização apresentada, tanto mais louvor podia ser esperado. Dessa forma, a capacidade de realização, a intelectualização, o perfeccionismo e o auxílio tornaram-se seguranças básicas.

Pais educados dessa forma pretendiam que seu filho tivesse uma vida melhor. Devido a necessidades próprias de recuperação, tem-se o seguinte quadro típico da educação e do cuidado infantil: os pais novamente confiam mais nos instintos. Preferem o estreito contato físico, carregando a criança junto ao corpo e amamentando-a. Acostumados a adaptar-se, submetem-se mais conscientemente à criança, pois seguem as recomendações dos psicólogos e pedagogos, fundamentadas intelectualmente. (Em que medida a doutrina destes também é deformada por necessidades de recuperação, deixamos em aberto neste ponto.) A recomendação é: nunca obrigar o bebê a alguma coisa de que ele não tenha vontade, mas deixar que exprima seus próprios desejos. E isso desde o nascimento! Que seja segurado e acalentado no ritmo em que se acalme mais rapidamente. Quando está inquieto e provavelmente com fome, deve-se dar-lhe o seio. Se quiser largar da mão de quem a segura, não se deve nunca impedi-lo, a fim de não quebrar sua vontade. É preferível tentar distraí-lo... E se perguntar mil vezes "por que", deve-se sempre e pacientemente dar uma explicação, dando-se preferência à tentativa de convencer a criança em vez de lhe impor limites. O cuidado da criança é feito com exigência perfeccionista. Desperta-se uma ambição quantitativa. A mãe se orgulha de poder amamentar seu filho até seu quarto, quinto ano de vida e sempre que ele quiser.

Ao projetar necessidades próprias no filho, muitas vezes os pais passam ao largo das verdadeiras necessidades básicas da criança. Dão-lhe a vontade, quando necessita mais de proteção. E cedem a ela, para dar-lhe amor, embora ela necessite de limites para assim poder desenvolver sua vontade.

O esquema a seguir mostra mais uma vez, de forma nítida, os pontos de perigo para o surgimento da tirania:

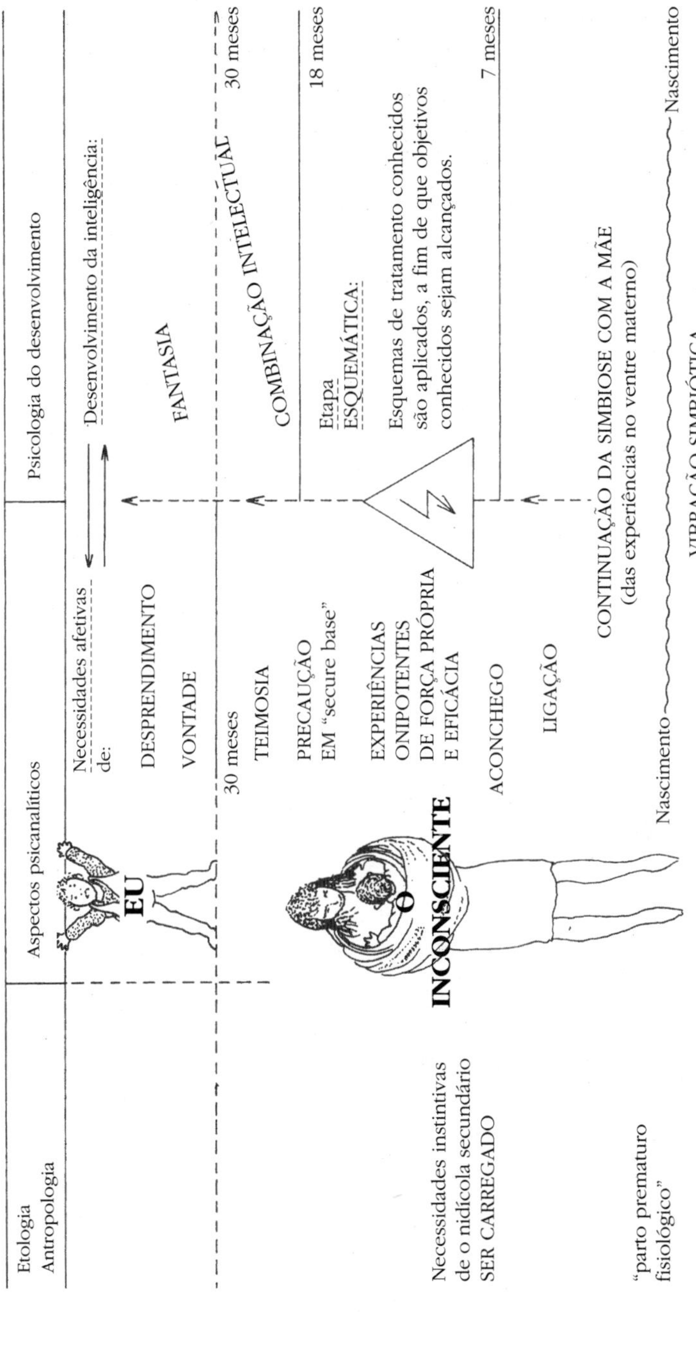

Esquema 4: Ponto de perigo para o surgimento da tirania

A história a seguir relata uma entre muitas situações críticas da tomada de poder. A partir desse exemplo, no entanto, o leitor não deve deduzir que toda e qualquer criança torna-se despótica porque acorda os pais durante a madrugada. Pelo contrário, utilizo esta história para transportar-nos para dentro da vivência da criança e de seu ponto de vista, no âmbito de seu mundo mágico, bem como para a situação dos pais.

O caso Sven

A situação dos pais

O pai é bancário, a mãe, enfermeira, que desistiu de boa vontade de sua carreira profissional a favor de Sven. Ambos tiveram uma criação sem afeto e proximidade, pois seus pais pertenciam a uma geração que, por conselho de profissionais, não queria mimar as crianças. Após a guerra, seus pais ocuparam-se intensivamente com a reconstrução e, juntos, com muito trabalho, construíram uma casinha, compraram um carro, fizeram poupanças para os filhos e economizaram para viagens. Esperavam a mesma disciplina de seus filhos, de seus herdeiros.

Nessa vida de trabalho, não sobrava muito tempo para aconchegos e conversas sem segredos. Os pais de Sven preocuparam-se em fazer tudo diferente: queriam saciar a necessidade de recuperação de amor e inverter a opressão da vontade, isto é, dar-lhe liberdade, abrir-lhe "todas as portas". Inconscientemente, carregavam ainda consigo a experiência da própria infância de que a satisfação compensatória de segurança só podia ser encontrada na realização perfeita de alguma coisa e no auxílio ao próximo. Sendo assim, cuidam de seus deveres paternos com um perfeccionismo que não permite nenhum erro.

O histórico de Sven

A gravidez decorreu sem quaisquer complicações de saúde. A mãe sentia-se intimamente ligada a seu filho e “travava com ele inúmeras conversas carinhosas”, falando com ele e acariciando-o. Para evitar qualquer problema de parto, os pais decidiram-se pela cesárea. A operação e a anestesia não permitiram a continuidade sem rupturas da simbiose entre mãe e filho. Sven não pôde ser colocado sobre a barriga da mãe logo após o parto. O *rooming-in* foi incompleto. Durante o dia, Sven ficava satisfeito com a companhia da mãe e chorava todas as noites, quando era afastado dela e colocado no berçário para dormir. Os funcionários da maternidade achavam estar poupando a mãe, que precisava de um pouco de repouso após a cesárea, para que depois tivesse forças suficientes quando fosse para casa. Sven superou essa corrente de mudanças repentinas e repetitivas, pois não se observou nele nenhum sinal de depressão. Era uma criança alegre e bastante amistosa, que chorava muito pouco. O ritmo de dormir e mamar foi se acomodando. Aos cinco meses, Sven dormia a noite toda e foi transferido do quarto dos pais para o quarto dele. Os pais alegravam-se com os progressos do filho e não pretenderam nunca que Sven crescesse como uma criança sem desprendimento. De outros pais ficaram sabendo que os filhos destes iam e vinham a noite toda da cama dos pais à própria e que tinham muita dificuldade para dormir sozinhos. Tudo era pretexto para incomodar os pais mais uma vez.

(Nesse ponto quero novamente chamar a atenção para o pensamento educacional absurdo dos tempos atuais. O desprendimento das crianças é buscado *antes* da realização de uma ligação. O "espaço do desprendimento", a "individualidade" do quarto do bebê já é planejado antes de a criança ser gerada.)

A noite da tomada do poder

Aos oito meses, Sven teve uma infecção acompanhada de febre, que teve como conseqüência um espasmo febril. A febre já abaixara, mesmo assim chorou durante a noite. Então Sven viveu em seu mundo mágico, ao qual pertenciam ele, os pais e a casa, um acontecimento grandioso: lá longe, como num planeta, a luz se acende, no quarto dos pais, na sala, no corredor e em seu quarto. "Faça-se luz!" – é assim que um todo-poderoso deve sentir-se. Enquanto a criança chorar, a grande mãe vem através desse mundo mágico, que mais parece um universo, e aproxima-se cada vez mais da criança. Examina cuidadosamente o que a criança poderia ter. Não tem mais febre, não está molhada, talvez tenha sede. Vai até a cozinha, a fim de esquentar a mamadeira no aquecedor elétrico.

Sven experimenta que seu choro desencadeia a grande luz, a vinda da mãe e o recebimento da mamadeira. Não bebe, pois não tem sede. Mas deixa-se acalmar, e a mãe apaga novamente as luzes e retorna ao quarto. Foi um sucesso e tanto para Sven! Que sensação arrebatadora ter movido o mundo inteiro! Não tem nem comparação com o joguinho que a mamãe faz com ele durante o dia. Tenta mais uma vez – e, de fato, tão logo ergue a voz, o acontecimento "de muita agitação" se repete, e mais uma vez a sensação embriagante, semelhante a uma "onipotência".

A extensão das exigências de poder

Na noite seguinte, Sven tenta mais uma vez e, como esperado, funciona. Dessa vez, os ataques de choro se acumulam. A mãe corre cinco, dez, vinte vezes do seu quarto ao do bebê, para um lado e para o outro. Sven transformou a noite em dia. O pai precisa estar descansado para o próximo dia de trabalho duro e pede à mãe que durma com a criança no quarto do bebê. É aqui que surge pela primeira vez o fantasma da incapacidade de desprendimento. O pai, desesperado, pede à mãe que faça algo para distrair o menino. A mãe carrega Sven para cima e para baixo, mas isso não é o bastante. Somente quando o leva à sala e acende as luzes é que ele sente outra vez sua eficácia. Sven não quer dormir, prefere brincar. A mãe movimenta carrinhos de brinquedo diante de seus olhos, de um lado para o outro, estimulando-o a imitar a brincadeira, mas não lhe basta. Toma a mão da grande mamãe e leva-a a mexer com os carrinhos. Além disso, obriga-a a fazer "tut-tut" a cada movimento. Sua mão e sua voz estão em poder do filho.

A suspeita de um "ritmo de sono invertido" não se confirma, pois durante o dia também não tem o sono necessário. A criança fica cada vez mais inquieta. Após várias semanas passando nervoso, os pais decidem ceder ao conselho de um pediatra e solucionar o ritmo de sono de forma medicamentosa. O forte efeito do remédio produz sucesso imediato. Mas o comportamento despótico, tirano, desloca-se para outras situações, para a comida e a permanência no carrinho durante as compras e os passeios. Apavorados, os pais ouvem a suspeita do pediatra de que a infecção virótica, associada aos espasmos febris, possa eventualmente ter provocado um leve dano cerebral.

Oportunidades de tomada do poder

Se pesquisarmos a partir de que momento o bebê aparentemente tranqüilo ficou "endiabrado", poderemos constatar: ocorre sempre nas situações em que os pais observam a norma de desenvolvimento a ser atingida e fazem de tudo para que a criança se desenvolva de acordo com sua idade. O que se espera de uma criança de seis a doze meses? (Em caso de deficiências, as normas podem demorar anos.) Espera-se que a criança durma a noite toda, que passe do alimento líquido para o sólido e para refeições à base de legumes e frutas, e que aprenda a engatinhar e a andar, portanto, a *dormir, comer e locomover-se.* Os pais dão especial importância à alimentação e ao sono, e isso não apenas porque neles se confirma a própria capacidade de educar, mas também porque comer e dormir são de importância vital, mantêm o ser vivo. Quanto a esse aspecto, os pais são afetados em seu nervo "mais sensível". Por isso, deixam-se desafiar facilmente à batalha de poder, mas acabam perdendo. O conflito com a resistência, por sua vez, conscientiza a criança de sua própria força.

Na etapa do "raciocínio esquemático", a tomada do poder ocorre, de forma caracterizadora, na exigência tenaz de um – e posteriormente vários – determinado esquema de ação, isto é, são utilizados determinados meios em determinadas situações, a fim de alcançar uma determinada meta. Essa exigência de determinadas regras, teimosamente impostas, que só servem para seus próprios fins, tem o caráter de caprichos. (Esse tipo de domínio lembra-me o exercício do poder e da força de um estado totalitário. Nele também são impostas regras absolutas, que se justificam por si mesmas e exige-se obstinadamente sua obediência.)

Quanto mais os pais se preocupam e quanto mais intenso for o sentimento de culpa ou a compaixão, mais fácil é para as crianças obrigá-los a ceder. Além disso, a fase de desenvolvimento traz seus próprios problemas: é a época da dentição e das vacinações. De acordo com a norma, a criança já deveria locomover-se e comunicar-se de modo simples. É exatamente nesse momento que são feitos os piores diagnósticos. Poderia ser levantada a suspeita de dano cerebral, de uma deficiência física ou mental. O indivíduo com dificuldades de compreensão recebe todo o tipo de auxílio, a fim de que atinja uma eficiência conforme a norma – e também o raciocínio da sociedade tecnocrata!

Exemplos de distúrbios do sono

Sven acorda a mãe durante a noite, exige iluminação e a mamadeira, mas não tem sede. Mais tarde, amplia sua "legislação", querendo ser carregado pela mãe por toda a casa. Indica qual o ritual a ser seguido para manipular os interruptores e, por fim, a mãe tem de mexer os carrinhos de brinquedo de acordo com a direção determinada por ele.

Toda noite, à 1h20min – pode-se até mesmo acertar o relógio pela pontualidade –, Irene exige ser levada para a cama da mãe. Porém, a mãe não pode ficar deitada. Tem de ficar sentada, de pernas cruzadas, com a menina no colo, cantando "in bocca chiusa" uma determinada canção de ninar. Note-se que só pode cantar de boca fechada, pois se pronunciar o texto, Irene abre o maior berreiro. Para Irene, o auge desse ritual é poder rodar a aliança da mãe em seu dedinho.

Ralph insiste, antes de dormir, que a mãe fique sentada na beirada da cama, segurando sua mão esquerda até que adormeça. Não permite que a mãe se deite também, que o acaricie ou que simplesmente segure sua mão direita em vez da esquerda.

Distúrbios da alimentação

De forma semelhante ao caso de Luisa, Jan, de 15 meses de idade, também teve de ser internado numa clínica infantil devido a seu estado de extrema desnutrição. Desde o sétimo mês, Jan só se alimenta de leite materno e recusa toda e qualquer oferta de outro alimento. A mãe até que gostaria de poder amamentá-lo, mas seu leite não é mais suficiente para a nutrição da criança. Jan acorda a mãe três vezes durante a noite e exige ser amamentado. Quando a mãe recusa, tenta rasgar-lhe a camisola e morde-a no seio até sangrar.

Conheço algumas mães que amamentam seus filhos até os quatro anos de idade, tempo suficiente para que estes desistam de mamar. Algumas dessas crianças transformaram-se em tiranos, que "ordenham" suas mães onde lhes der vontade. Usam a mãe sem se importar se ela concorda ou não. Qualquer outra criança menor de três anos tem noção dessa consideração – no verdadeiro sentido do termo, de "ser capaz de perceber a reação do próximo" –, desde que a mãe tenha lhe imposto determinados limites.

Carsten, hoje com sete anos, aos nove meses recusou alimentar-se durante uma de suas muitas internações, necessárias para a realização de um exame de cromossomos e para a prescrição de dietas. Durante cinco anos, até a introdução da psicoterapia primária, teve de ser alimentado por sonda. Nesse ínterim, as enfermeiras e o pai conseguiram que aceitasse comida normal, mas Carsten recusa-se terminantemente a ser alimentado pela mãe.

Até um ano e meio de idade, Annelise comia de tudo que não precisasse morder ou mastigar. Desde a dentição, exige alimento batido e verde-escuro. Espinafre é o alimento principal. Bebe apenas água da torneira. Ao ser alimentada, o pai tem de estar sentado ao seu lado, caso contrário não come nada. Essa situação vem se prolongando há oito anos.

Mário, de sete anos, come apenas biscoitos e pãozinho seco. Só aceita outro alimento se a refeição for feita debaixo de um guarda-chuva aberto.

A capacidade locomotora como meio de poder

Na época com um ano de vida, Kathrin viajou com os pais para passar férias na montanha. Os pais queriam que aquelas férias fossem alternativas, sem carro, sem carrinho de criança e sem televisão. Durante as caminhadas, Kathrin era carregada nos ombros do pai. A menina divertia-se muito quando o terreno era acidentado. Mas ai do pai se quisesse parar para descansar. Kathrin exigia que continuasse, batendo suas pequenas mãos em sua cabeça. O pai permitia que fosse tocado. Quanto mais rapidamente Kathrin batia, mais rápido andava.

Também nos distúrbios do sono algumas crianças determinam o ritmo e em que posição querem ser carregadas pela casa.

Durante uma conversa de aconselhamento, uma mãe quis saber de mim como a tirania pôde surgir em seu filho de sete anos, que exercia seu domínio sobre ela e sobre todo o ambiente. Tive de lhe responder: "Da mesma forma como está acontecendo neste momento com seu filho Benjamin, de um ano, no meu consultório." Expliquei-lhe as experiências arrebatadoras de poder que esse rapazinho estava tendo naquele momento. Benjamin escorregava a toda hora do colo da mãe – e por que não, já que a sala era acarpetada, aquecida, limpa e sem animais por perto? Corria para meu gravador e girava os botões. E experimentava que não apenas a mãe não conseguia mantê-lo sentado no colo, mas que eu também tinha sido colocada em movimento. Eu me levantava toda vez, levando-o de volta para o colo da mãe. Imediatamente se libertava, examinava minha reação e repetia o joguinho. O pequeno moleque manipulava nós duas, mulheres adultas e experientes, da forma que convinha ao seu esquema.

Indícios semelhantes de uma onipotência iniciada na primeira infância, não refreada pelos pais e terminada em tirania, encontram-se em históricos de personalidades anormais, como terroristas, loucos homicidas e dependentes de drogas. Há pouco tempo, li numa entrevista com o pacato pai de um louco homicida: "Já com um ano nosso filho era uma criança teimosa. Não se deixava nunca levar pela mão... Se como bebê já era assim, imagine agora então!" Realmente é possível imaginar.

Além de dormir, comer e medir as forças físicas, ainda existem muitas outras oportunidades nas quais a criança especial – o filho único, o caçula, aquele com desenvolvimento retardado, a criança doente etc. – experimenta a promessa de sua onipotência, por exemplo:

Uma das ocupações preferidas do pequeno Alexandre, então com dois anos, era ser levantado pelos pais ou pelos irmãos mais velhos para poder acionar os interruptores ou os botões de máquinas elétricas. Mais tarde, acrescentou a essa diversão a buzina do carro do pai e o controle do aparelho de televisão. No dia do seu segundo aniversário, recebeu um gravador. Colocava as músicas no último volume, tirava o som ou as fazia tocar novamente. Para o garoto de dois anos, deve ter sido uma sensação fantástica poder controlar os adultos do mundo com um botão.

Hans-Peter teve suas melhores experiências de domínio do meio ambiente quando, durante um ataque de choro, ficou sem ar. Soube logo como utilizar esse fenômeno em caso de protesto. Muitas vezes, bastava calar-se ou ficar sem ar e o mundo todo movimentava-se para satisfazer suas expectativas.

Michael, com problemas de audição, adorava desenrolar todos os novelos de lã e esperava que outra pessoa os enrolasse novamente. Em sua presença, a banheira não podia ser esvaziada. Mas mesmo se isso acontecesse, a banheira tinha de ser enchida novamente, para que ficasse quieto. A família não se importava em fazer o jogo. Tinham pena da criança por ela ter problemas auditivos.

A relação dessas histórias de tomada do poder poderia continuar infinitamente. No entanto, por razões de complementação, devemos ainda mencionar a história do surgimento discreto de um capricho que faz parte da vida de muitas crianças, especialmente de filhos únicos. O despotismo é transferido ao bebê sem que este o exija e sem que os pais o percebam. Ao serem questionados, muitas vezes os pais não conseguem determinar a época da tomada do poder. Em sua ilha ensolarada, o pequeno paxá também não tinha qualquer motivo para precisar rebelar-se ou impor alguma coisa. Por amor, transigência ou superproteção, todos os impecilhos foram tirados de seu caminho. O menor sinal era tomado pelos pais como uma ordem branda, e eles a seguiam. Mesmo quando as exigências se mostravam absurdas, concediam à criança a liberdade da tolice e do domínio e divertiam-se com isso. Ninguém considerou que uma liberdade sem verdadeira segurança conduz à dependência da obsessão. O pai desistia de assistir a um programa de televisão que lhe interessava, a mãe terminava imediatamente uma conversa ao telefone se a criança se incomodasse com isso. Muitas mães comportavam-se como damas de honra delicadas, que sabiam de imediato e sem que lhes contassem o que estava incomodando o filho. Apresentam sua arte culinária e cuidam do entretenimento do pequeno príncipe no país das delícias; submetem-se a suas sensações de vontade ou contrariedade e não levam a mal se são pisadas por ele. É freqüente a observação: "Que mocinho charmoso! Sabe bem o que quer." E ninguém percebe o atalho que leva do paxá ao tirano.

Assim aconteceu com Sebastian, um menino adotado. Após a decepção de alguns abortos naturais, crescia nos pais cada vez mais forte a vontade de ter um filho. Além disso, seria o primeiro neto, tanto dos avós paternos como dos maternos. Quando então conseguiram adotar um menino já nascido, a alegria da mãe, de seus pais e tias era indescritivelmente grande, pois nessa família, há gerações, não nascia um menino. De todos os lados vinham os parentes para admirar o menininho e trazer-lhe presentes caros. Todos os seus desejos eram satisfeitos, antes mesmo que a criança pudesse manifestá-los. Logo Sebastian determinava todos os acontecimentos na família. Determinava o cardápio, e cozinhava-se apenas aquilo que queria. Escolhia também onde passear e, quando não acontecia de acordo com a sua vontade, porque os grandes decidiram diferentemente, o menino era amplamente ressarcido. Também o controle da televisão era exclusividade seu. Os pais adequavam-se com prazer à sua escolha de programas, encontrando até justificativas para tanto: em transmissões para crianças, entravam com ele em seu mundo infantil e, em programas mais exigentes, podiam responder a suas perguntas curiosas. Sebastian determinava também que pessoas podiam ser convidadas e dava o tom da conversa durante as visitas. Muitas vezes os adultos interrompiam sua conversa para brincar com ele, a seu pedido. E deixavam-no ganhar sempre, para não lhe tirar a alegria de entrar em contato com as pessoas. Os pais ajudaram-no também a se impor como o primeiro em grupos de crianças. Era protegido das crianças "más" e também não permitiam que perdesse. Por isso, os pais preferiam amigos que se adaptassem a ele. Com o auxílio de seu "ministério de relações exteriores", que facilitava seus caminhos diplomáticos, Sebastian transformou-se num pequeno príncipe, que com boa índole, riqueza de idéias e justiça governava e via seus súditos de modo amistoso, como se fossem seus iguais. Esse papel Sebastian também conseguiu manter no jardim-de-infância e na pré-escola, pois era o mais inteligente de todos e o queridinho da professora do jardim e da escola. Mesmo a adoção de um irmãozinho não o abalou, pois continuou mantendo o papel de paxá. Sebastian recebeu-o em sua corte, já que, sem dúvida, seu irmão foi adotado por causa dele e para ele, e permitiu que a primeira dama da corte cuidasse da criança em seu lugar. Somente no ginásio é que Sebastian acabou sendo destronado de forma cruel, perdendo não apenas o papel de centro das atenções, mas também tendo de adaptar-se ao fato de ser um entre muitos (provavelmente é assim que se sente o rei, quando seu reino se transforma em república!), deixando de ser o melhor em inglês. No recreio bateu no primeiro da classe e, em casa, ficou depressivo. Por causa dessa agressão incontrolada, apresentada pela primeira vez, foi levado ao meu consultório.

Quando dois fazem a mesma coisa, não quer absolutamente dizer que seja a mesma

As mães dos círculos culturais mais primitivos teriam se comportado de maneira mais simples que todas essas mães mencionadas, sem grandes teorias pedagógicas e de desenvolvimento psicológico. Teriam de adaptar-se às suas condições restritas de vida, sem questionar se a criança quer aquilo ou não, e as crianças, por sua vez, teriam de adaptar-se à adaptação das mães. Também minha mãe, na década de 1930 na Tchecoslováquia, devido a condições de moradia limitadas e obsoletas, só pôde reagir de uma determinada maneira aos meus distúrbios do sono: ao primeiro choro, botou-me imediatamente ao seu lado na cama, apertando-me contra seu corpo quente e ninando-me até dormir. Como de madrugada não havia lenha no fogão para esquentar o ambiente, não poderia ter me carregado pela casa. O único lugar quente era a cama. Lá também não poderia ficar berrando, pois acordaria o pai e os irmãos. Esquentar uma mamadeira só seria possível acendendo o fogão a lenha. Portanto, deu-me de mamar enquanto pôde, depois não tinha mais leite para me oferecer durante a noite. A possibilidade de sossego restringia-se ao contato físico no leito.

A mãe esquimó – representante de todas as mães que precisam usar roupas quentes – também não pode amamentar sempre de acordo com a vontade da criança. A necessidade irrestrita de amamentar só pode ser possível quando ambos estão em casa, certamente nos primeiros meses após o nascimento. A criança um pouco mais velha – na escala de desenvolvimento do "raciocínio esquemático" – precisa ser carregada nas costas da mãe enquanto esta trabalha – e deve adaptar sua necessidade de saciedade às possibilidades da mãe.

Na maior parte das famílias do mundo, a criança não pode escolher sua própria comida. Muitas crianças famintas não recebem nada para comer. Em todo lugar a criança precisa adaptar-se às possibilidades de alimentação da família inteira. Se uma criança de uma família pobre da China recusasse o arroz, provavelmente morreria de fome.

Da mesma forma, uma mãe do Peru, durante o trabalho no campo, na feira ou fugindo de uma tempestade, não pode deixar que a criança decida se quer ser carregada ou não e em que velocidade. Somente poderá deixar o colo da mãe quando esta o permitir. Junto ao corpo da mãe, a criança tem de adaptar-se ao trabalho dela e às suas condições de vida. Por exemplo, não poderá ficar engatinhando, porque no chão há sujeira, insetos nocivos e o perigo de cobras. É carregada para sua própria proteção.

Não quero questionar o ato de carregar e a amamentação. Por meio da etologia comparada, sabe-se que crianças de círculos culturais mais pobres são mais alegres e, com a idade de um ano, mais maduras em suas atitudes sociais que crianças na mesma faixa etária do mundo consumista tecnocrata. Buscando a "felicidade perdida"[28], voltamos às velhas tradições. Freqüentemente "opera-se com conceitos como contato físico, calor corporal, segurança, experiência emocional e amor materno. Não quero menosprezar nenhum desses aspectos das relações interpessoais, mas enquanto não compreendermos os mecanismos de seus efeitos, eles não representam mais do que uma bela etiqueta em envelopes lacrados com conteúdo desconhecido", cito H. e M. Papoušek[29], em total concordância com seus pensamentos: a transferência irrestrita do modo de vida de um círculo cultural para outro pode significar que, nesse envelope lacrado, haja um veneno que destrói o envelope e seu conteúdo.

Como dito anteriormente, quando dois fazem a mesma coisa, não significa absolutamente que seja a mesma. Esta é a diferença básica: nos círculos culturais primitivos, a criança deve adaptar-se à mãe e à situação geral de vida da grande família. Recebe sempre consolo, mas a mãe não pode adaptar-se irrestritamente a seus desejos de liberdade física, alimento e auto-afirmação. O bem-estar dos círculos culturais altamente industrializados permite à mãe adaptar-se à criança – geralmente filho único – junto com sua família e com a condição de vida de que dispõem. Não é apenas uma inversão, mas praticamente uma perversão das relações de adaptação.

---

28. Cf. J. Liedloff: *Auf der Suche nach dem verlorenen Glück*, Munique, 1984.

29. H. e M. Papoušek: "Die Rolle der sozialen Interaktion in der psychischen Entwicklung und Pathogenese", *in*: *Psychiatrie des Säuglings- und des frühen Kleinkindalters*, editado por G. Nissen, Berna, Stuttgart, Viena, 1984, p. 71.

Por razões facilmente compreensíveis, justamente o conforto baseado na tecnologia moderna e a oferta de bens de consumo colaboram para que a criança experimente, em vez de sua adaptação ao ambiente, a adaptação deste à sua pessoa, e em proporções nunca antes ocorridas. Apenas a técnica e a dimensão da habitação possibilitam que a criança faça a mãe andar de um lado para o outro durante a noite. A casa é aquecida e há eletricidade para acender e apagar as luzes e para esquentar a mamadeira. A criança tem seu próprio quarto. Apenas assim consegue ser travesso. A oferta de alimento infantil, maior que a demanda, possibilita à criança escolher uma determinada marca, uma determinada cor do alimento ou uma determinada embalagem, exigindo-a obstinadamente. Os cuidados médico-tecnológicos podem, em seguida, ser solicitados para evitar distúrbios alimentares ou até a morte por inanição. Já o fato de a mãe não ter de executar trabalhos físicos pesados, seja profissionalmente, seja na casa totalmente automatizada, torna possível que a criança seja carregada à noite pela casa, num determinado ritmo e a uma determinada velocidade. O quarto da criança, com carpete e aquecimento, oferece-lhe a chance de, sempre que quiser, libertar-se e locomover-se livremente. No quarto não há perigos como insetos nocivos, cobras ou outros animais. Com o mínimo esforço possível, apertando um botão, a criança pode fazer surgir um pouco de vida sob a forma de imagem e som e fazê-la desaparecer novamente, "como se" tivesse o poder de movimentar toda a criação e de destruí-la.

O que ocorre quando nos afastamos dos mandamentos da criação?

Um exemplo característico: o pai é inspetor de polícia. Um homem que conhece as leis. Diferenciar o bem do mal é inclusive sua profissão. A mãe é pedagoga social. Durante seus estudos, sua principal preocupação era: como posso ensinar uma criança a distinguir o bem do mal. Mesmo assim, ambos têm grandes problemas com Jens, seu primeiro filho natural.

Jens tem quase dois anos. À primeira vista, surge a suspeita de uma hiperatividade. Como uma borboleta, vai de um brinquedo a outro no consultório, de cadeira em cadeira, sem se concentrar num objeto só. Mas o verdadeiro motivo para a consulta é bem outro. À minha pergunta, por que trouxeram a criança, os pais dizem quase em uníssono: "Nosso filho é agressivo." "Meus parabéns", respondo-lhes. "Sua criança corresponde exatamente à norma de desenvolvimento. Justamente agora, aos dois anos, ele deve desenvolver uma grande necessidade de experimentar suas forças do eu. Contudo, isso só é possível quando experimenta limites e resistências. Alegrem-se, portanto, com a vitalidade dinâmica de seu filho! Ele precisa somente de mais direcionamento do que crianças com temperamento fleumático. Gosto de comparar esta força travessa com um riacho da montanha. Quanto mais rumoroso, tanto mais o leito do rio deve ser aplainado, de forma que seja suficientemente profundo e largo e tenha duas margens seguras, para que a água possa correr sem transbordar e sem provocar perigos inúteis..." "Pois é justamente disso que se trata", suspira o pai. "Como a agressão de seu filho se manifesta, e contra quem?", pergunto. "Contra todos nós. Ele bate em nós. Bate em mim, na minha mulher e também nos avós. Sabe de uma coisa, eu até entendo. O menino quer dar vazão à sua agressividade com alguém, mas não temos outro filho. Com quem irá brigar? Dispomo-nos a isso com prazer. E não o levamos tão a sério. Somos seus parceiros, seus companheiros. Mas não é por isso que estamos aqui. O problema maior é: nosso Jens agride também as crianças no maternal. Ele as empurra com brutalidade ou pega um carrinho de madeira e bate com ele nas outras crianças." Nesse ponto, visivelmente abalada, a mãe tomou a palavra: "As outras mães queixam-se disso. Elas acham que seus filhos ficam com medo de ir ao maternal. Outras crianças querem lutar com Jens, e isso as outras mães não deixam. É por essa razão que estamos aqui." E digo: "Assim começa a agressividade brutal, que até pode conduzir à criminalidade. Quando se incute na mente da criança que ela deve descarregar seus impulsos de agressividade batendo, essa atitude permanece enraizada. É de pequeno que se torce o pepino. Nessa idade tenra, as crianças dos países em desenvolvimento ainda experimentam a agressividade no corpo de suas pessoas de referência, não recebendo nunca castigo severo por ataques de raiva ou por bater, mas uma reação imediata e, portanto, a imposição de limites. Em cada pessoa de referência conhecida a resposta é diferente, de modo que a criança tem a chance de perceber sentimentos diversos e, desse modo, adaptar-se a eles. Assim aprende aos poucos quando foi longe demais e quando os outros sofrem com isso. É por esse motivo que não apanha. A criança sente a reação que bloqueia sua agressividade pela maneira como é carregada no 'canguru', pelo sinal de advertência ao segurarem suas mãos etc. A criança de dois anos ainda não está tão desenvolvida a ponto de poder pensar preventivamente. Ainda não é capaz de imaginar as conseqüências de seus ataques agressivos e, portanto, ainda não age com responsabilidade. A criança só desenvolve essa consciência bem mais tarde. Portanto, enquanto não dispõe dessa segurança interna, deve ser protegida de sua própria agressividade sem forma definida por meio de uma segurança vinda de fora."

Após essas explanações, pergunto aos pais como reagem a Jens quando este os ataca. Durante essa conversa, Jens subiu no colo do pai e começou a puxar-lhe os lóbulos das orelhas, cada vez com mais força. Quando finalmente o pai tentou despreocupadamente impedi-lo, seu pequeno filho começou a bater nele com os punhos cerrados. E o que fez o pai? Com cuidado, pegou a criança nos braços e disse com uma pitada de raiva, mas com admiração indisfarçável: "Mas que força, menino!" Nessa comunicação não foi possível perceber nem raiva nem alegria. Uma mistura indistinta, dúbia de sentimentos, incompreensível para a criança. A inquietude crescente, em contrapartida, provoca uma nítida reação.

O fim da história o leitor poderá imaginar facilmente. Evidentemente, Jens continuou a bater em seu pai. Como agi na minha função de psicóloga solicitada a ajudar, o leitor fica sabendo no último capítulo, intitulado "O que fazer?".

Nesse momento, quero apenas mostrar quais erros haviam sido cometidos pelos pais, de modo que não mais conseguiam direcionar a agressividade de seu filho. Uma pessoa deve estar inserida nas *leis condicionadas pela criação*, caso queira ter um bom relacionamento consigo mesma e com os outros. Se, todavia, um indivíduo se distanciou dessas leis, não se sentirá bem. Podemos também dizer: o estilo de vida está para as leis da natureza como o *software* está para o *hardware*. Sem um disco rígido, nem o melhor programa funciona.

As tábuas de Moisés também representam um "disco rígido" desse tipo. Os dez mandamentos podem ser entendidos como uma espécie de constituição, na qual estão arroladas as regras básicas da vida em comum.

Quando os pais não são mais respeitados

Dos dez mandamentos, o quarto ("Honra teu pai e tua mãe..."), do ponto de vista psicológico, é o que tem a transcendência maior. Ele oferece uma indicação importante à higiene psicológica a ser mantida, com a qual o homem pode se libertar de distúrbios psíquicos. "[...] para que teus dias se prolonguem sobre a terra que te dá o Senhor, teu Deus" é como esse mandamento se justifica. Estranhamente, o quarto mandamento é o único que contém uma justificativa. Por que logo o quarto? Pode-se especular muito a respeito, e saber uma resposta chega a ser uma ousadia. Mas ouso assim mesmo, porque diariamente tenho de me ocupar com os efeitos do não-seguimento desse mandamento em meu consultório. Diferentemente dos outros, ele contém algo imprescindível, que o homem deve guardar conscientemente e por vontade própria, para poder desenvolver-se de criança carente de proteção a adulto livre. Se cometo adultério ou roubo, ou se levanto falso testemunho contra meu próximo, peco gravemente, mas meu desenvolvimento pode continuar, mesmo assim. Porém, se não respeito meus pais porque também têm sua parte de culpa, continuo sendo uma criança carente, com necessidade de recuperação insatisfeita e que não consegue se desprender. Não consigo me tornar um adulto, embora eu o queira e embora outras pessoas esperem isso de mim. E não posso ser fiel a mim mesmo. Sendo assim, não me sinto bem. Consigo apenas me desprender depois que nenhuma acusação nem necessidade de recuperação me detenha, e quando eu for generoso o suficiente para respeitar meus pais, embora não me tenham dado tudo. Meu coração estará mais disposto a agradecer pelo bem (mesmo que tenha sido pouco) e de reconciliar-se apesar de todos os preconceitos, quando eu estiver disposto a respeitar o destino de meus pais.

Como uma criança aprende a respeitar seus pais?

O meio de melhor efeito é o *exemplo*. Os primeiros moldes básicos do comportamento social a criança copia de seus pais. Ela é mais que um simples observador passivo, pois relaciona a si mesma todos os acontecimentos ao seu redor. As observações são simultaneamente vivências. Desse modo, a criança experimenta junto a seus pais como estes se amam, como se ajudam mutuamente, como resolvem discussões e se reconciliam, como transformam divergências de opinião em acordos e como lutam pela mesma causa, na medida em que, apesar de todas as reservas, *sempre se inter-relacionam com respeito.*

Mas também em outras situações o exemplo é importante, e quanto mais inequívoco for o comportamento dos pais, tão mais fácil é para a criança aprender comportamentos sociais. Deve ter a absoluta certeza de que o "não" realmente significa não e que o "sim" deve ser entendido como um verdadeiro sim. Nessa *previsibilidade* está codificada a fórmula da capacidade de confiar, da *segurança.* Por intermédio da *repetição do que é constante*, as boas formas de comportamento são assimiladas pela criança. Dessa maneira, é firmado o fundamento para a formação da consciência.

É uma experiência geral, válida não apenas para os seres humanos, mas também para os animais: apenas o *exemplo superior* conta. Não imitamos os mais fracos. (Não aprendemos a dirigir com principiantes, mas com um motorista experiente, o instrutor da auto-escola.) Vista dessa forma, a autoridade natural do exemplo parece um princípio condicionado à criação. Por essa razão, é imprescindível que uma criança numa idade em que necessita de exemplos possa sentir a superioridade dos pais. Foi assim que ordenou a sabedoria da criação: os pais são, a princípio, maiores, mais maduros e mais fortes, e as crianças são menores, imaturas e mais fracas. Evidentemente não se quer com isso referir a uma força que se impõe com castigo físico, mas por meio de maturidade. A essa maturidade pertence também o conhecimento das verdadeiras necessidades da criança e da responsabilidade de sua realização.

A ideologia da década de 1970, contudo, defendia o contrário: pais e filhos estão em condições de igualdade. A princípio soa bem, porém gerou muita confusão, pois pais e filhos *não estão no mesmo nível* nem têm direitos iguais. Somente poderá ter direitos aquele que também assumir deveres e responsabilidades. Isso é tarefa dos pais, não da criança.

Quando os pais se nivelam ao filho como parceiros e companheiros, isto é, colocam-se no nível infantil, tornam-se *infantis* e até *pueris*. Em contrapartida, a criança tem de elevar-se ao nível dos adultos, onde não pode ser criança, mas apenas adulta: não pode deixar-se cair nesse nível desproporcional para ela, nem ficar despreocupada. Teria de compreender sempre como o adulto compreende, decidir como o adulto decide... assim acaba sendo exigida em excesso.

Mas isso tudo não se restringe apenas à equiparação dos opostos de "grande" e "pequeno", "maduro" e "imaturo". O equilíbrio entre direitos e deveres também se descontrola, de modo que a criança não recebe os deveres, mas apenas os direitos, e vice-versa: os pais sobrecarregam-se com deveres e desistem de seus direitos. No caso de Jens, temos a seguinte situação: o menino de dois anos, na explosão de sua agressão, teria apenas o dever de ouvir o "não" dos pais e deixar que suas forças fossem direcionadas para outras atividades, de forma que pudesse experimentar o prazer da resistência, talvez com a ajuda de uma bola grande, que jogaria contra a parede. E se Jens insistisse nas agressões às crianças, teria de suportar ser protegido de sua própria agressividade ainda sem forma definida, isto é, teria de ver como outras crianças são protegidas dele e como se brinca amigavelmente entre si. Nesse caso, seu único dever seria, por assim dizer, ficar no colo dos pais, a fim de se acalmar. Mas os pais não exigem dele essa obrigação, acreditam antes que ele tem direito à sua liberdade. Eles mesmos sentem-se obrigados a exigir da criança apenas aquilo que ela quer. Acontece também em relação à comida. Como tantos outros pequenos tiranos, Jens não come legumes e, das frutas, apenas banana muito bem amassada, misturada a kiwi cortado em quadradinhos. Todos os seus desejos são sempre realizados. Só raramente é colocado com certa indelicadeza em sua caminha, quando de noite aparece inúmeras vezes na sala. No entanto, quando é para cumprir seu dever mais importante, isto é, colocar barreiras inequívocas à criança ao serem agredidos com socos e pontapés, os pais não o cumprem. Nem se dão ao direito de defender seu próprio sentimento de valor. Sendo assim, a criança transforma-se cada vez mais em agente e os pais em vítimas. A igualdade inicialmente desejada pelos pais é perdida, os níveis se descontrolam, a criança torna-se mais adulta que os pais.

Em outras palavras: a criança age e os pais reagem. A criança ainda imatura tem o roteiro nas mãos e os pais deixam-se puxar e empurrar feito marionetes. Em seu mundo mágico, a criança sente-se um manipulador todo-poderoso e independente. Já conhecemos as conseqüências das apresentações feitas até agora: *com pais fracos e manipuláveis a criança não consegue sentir-se protegida.* Não se sente segura nem consegue ver seus pais com respeito, a fim de aprender o exemplo de seu comportamento. A criança perde aquilo que é essencial para seu desenvolvimento: poder primeiro ser criança e só depois ter a obrigação de tornar-se adulto. Mas não consegue nem um, nem outro. Quanto mais sensível a criança, tanto mais sofre com a perda da segurança e da orientação. A experiência cada vez maior com o pequeno tirano ensina que, na maioria das vezes, não se trata de crianças robustas, fortes, mas de crianças sensíveis, que percebem as menores mudanças e sentem o perigo de longe. Porém, diante da ordem pervertida de grandezas, são obrigadas a tomar as rédeas nas mãos, às vezes como exterminador ou, de forma mais branda, reagindo com hipersensibilidade. De todo modo, comportam-se como se fossem as únicas pessoas a lutar obstinadamente pela própria segurança. É de tirar o fôlego observar como uma criança sensível anseia uma solução para essa situação insustentável. Faz uso de sua superioridade aparente e assume o poder sobre os pais. Não consegue confiar em nada, a não ser que seus pais, confusos, se deixem dominar por ela.

Quanto mais soltos e descompromissados forem os fios que a ligam a seus pais, mais força a criança deve empregar para puxar e tensionar esses fios, esticá-los e arrebentá-los. O *dilema afetivo*, no qual os pais não ousam um "sim" e um "não" claros, é insuportável para a criança. O "sim e não" dúbio muda sempre conforme a situação: é de um jeito quando há visitas, de outro quando a mãe está ocupada na cozinha e novamente de outro durante as compras no supermercado. Quase nenhuma reação dos pais é previsível. A criança não pode confiar em nenhuma atitude deles. Não vale nem uma nem outra, mas algo que lhe escapa. Nenhuma linha clara, nenhuma possibilidade de desenvolver confiança. A proteção da criança é ameaçada. Fica inquieta, nervosa, estressada. No verdadeiro sentido da palavra bíblica, sente-se *mal*. (Do sermão da montanha consta: "Mas seja o vosso falar, sim, sim: não, não: porque tudo o que daqui passa, procede do mal.") A criança precisa se proteger contra isso. Crianças medrosas, com tendência a fecharem-se em si mesmas, reagem fugindo para seu casulo e tornam-se autistas, contidas e depressivas. Crianças dinâmicas, batalhadoras e expansivas tendem mais à *agressividade*. Protegem-se atacando e avançam no opositor insuportavelmente indefinido, a fim de dissipá-lo. Preferem arcar com uma destruição a ficar na indecisão do "sim e não". Uma criança agressiva pode, na maioria das vezes, confiar numa reação inequívoca da mãe, quando bate e pisa em outras crianças no *playground*. Talvez a mãe coloque seu filho imediatamente no carrinho e vá embora, com muita vergonha das outras mães; sem dúvida toma uma atitude.

Essa confusão e alteração das relações, de acordo com minha experiência, é o motivo para a agressividade crescente. Ela se apresenta antes mesmo de a criança poder ser influenciada pela televisão ou por maus colegas. Quando os pais concedem ao filho ou até exigem dele uma liberdade em demasia, na maioria das vezes nem imaginam que dessa maneira não se ganha o livre-arbítrio, mas estimula-se uma desgraça. É que antes de a criança poder desenvolver a própria vontade, deve sentir-se segura e protegida. Para muitas das crianças de hoje, por não terem tido essa experiência, nada mais resta além da diminuição agressiva dos pais menosprezados, desrespeitados, pois somente isso lhes dá segurança.

Como as crianças precisam suprir as falhas no sistema de relações familiares

Fazem parte das leis ligadas à criação, cuja observância cuida do bem-estar psíquico do homem, certos princípios de como os membros da família se posicionam um em face do outro; os psicólogos falam da *constelação familiar.*

A palavra "constelação" deriva dos termos latinos "cum" e "stella". O significado original da palavra expressa a posição dos corpos celestes, relacionados de acordo com as ordenações dos sistemas solares. Quando uma estrela desaparece e surge um buraco negro, este suga para dentro de seu centro escuro as estrelas até então brilhantes. A comparação com sistemas familiares é inevitável. Estes também estão entrelaçados nos mesmos moldes da criação como os sistemas estelares. (Segundo a mais antiga medicina naturalista conhecida, a *Ayurveda*, "assim como o corpo humano, é também o corpo cósmico, ... assim como o átomo, é todo o universo".)

O conhecimento desses princípios antiqüíssimos, que devem ser mantidos dentro da família no interesse das relações bem sucedidas, é mérito da terapia familiar sistêmica. As ordens sistêmicas não seguidas também se refletem numa relação perturbada que o indivíduo tem consigo mesmo e com outras pessoas.

Na busca por soluções, são considerados, evidentemente, os variados estilos de vida das culturas em questão. Sendo assim, a posição do homem e da mulher sob condições de matriarcado não tem o mesmo peso que no patriarcado, e a hierarquia dos mais velhos entre os índios não é a mesma que na Europa. As ordenações básicas, contudo, são válidas para todos os círculos culturais e foram descritas na literatura de forma impressionante. As tragédias da antiga Grécia muitas vezes apresentam um emaranhado no sistema familiar, cujo desfecho decorre de forma inevitável segundo leis sistêmicas: sem culpa na culpa. Mesmo hoje isso é o que muitas vezes acontece: a criança inocente torna-se tragicamente um tirano sem poder ser culpada disso. (Contudo, os emaranhados sistêmicos nem sempre participam do surgimento da tirania, mas freqüentemente têm seu efeito.) Experiências de longa data com pesquisas etiológicas, bem como a terapia delas resultante e sua parte de êxito indicam determinadas constelações dentro das relações familiares que vitimam a criança. Somente após seu reconhecimento e reordenação, a criança torna-se livre também para a educação.

Alguns princípios sistêmicos devem ser mencionados neste momento. Sendo assim, cito a seguir Bert Hellinger[30]:

Quem pertence ao sistema da família?

"Juntamente com nossos pais e nossos irmãos formamos a comunidade de destino de uma família.

30. G. Weber (ed.): *Zweierlei Glück*, Heidelberg, 1994, pp. 139 ss.

Como família, contudo, fazemos parte também de uma parentela, na qual os parentes dos pais se unem a um sistema maior de indivíduos, que talvez não conheçamos todos, mas que mesmo assim são importantes para nós.

Em regra, fazem parte da parentela, independentemente do fato de ainda viverem ou já terem morrido:

1. a criança e seus irmãos;
2. os pais e seus irmãos;
3. os avós;
4. às vezes ainda um ou outro dos bisavós;
5. todos aqueles que cederam lugar a outros no sistema, por exemplo um primeiro marido ou uma primeira esposa dos pais ou dos avós (ou relações semelhantes a casamento, mesmo se ocorreu uma separação ou divórcio), uma antiga noiva, um homem ou uma mulher, com quem alguém da parentela tem um filho, e todos aqueles, cuja infelicidade, partida ou morte ofereceu vantagem e, portanto, cedeu lugar a alguém na parentela. (...)

O direito de participação

Todo aquele que faz parte de uma parentela tem direito igual de participação, e ninguém pode ou tem o direito de lhe negar este lugar. Tão logo alguém apareça no sistema e diga: 'Eu tenho mais direito de fazer parte deste sistema do que você', fere a ordem, e o sistema entra em desequilíbrio. Se, por exemplo, alguém esquece uma irmã falecida muito cedo ou um irmão natimorto, e se alguém ocupa, com toda naturalidade, o lugar de um cônjuge anterior e parte ingenuamente do princípio de que agora ele ou ela tem mais direito de participar do que aquele que cedeu o lugar, então peca contra a ordem. Muitas vezes, o efeito dessas situações é que, numa geração posterior, sem perceber, alguém acaba imitando o destino da pessoa cuja participação foi negada.

O fato de excluir alguém é a principal culpa de um sistema, embora o indivíduo e todos aqueles anteriormente mencionados tenham direito de participar. (...)

A lei da primazia do antecessor

A existência é qualificada pelo tempo. Recebe uma posição e é estruturada pelo tempo. Quem está há mais tempo num sistema, tem primazia perante aquele que veio depois. Em relações amadurecidas, há, portanto, uma hierarquia que se orienta, principalmente, pelo que é anterior e posterior, isto é, quem vem antes é preordenado, quem vem depois é pós-ordenado. Chamo esse princípio de ordem de origem. *Por essa razão, os pais vêm antes dos filhos* e o *primogênito vem antes do segundo em idade.*" (Grifo nosso).

Dentro da família, os pais estão em primeiro lugar, e os filhos, em segundo. A seqüência temporal em que os filhos vêm ao mundo é decisiva, portanto, para a posição no sistema familiar: o primogênito tem o primeiro lugar entre os irmãos, o segundo, o segundo lugar etc. Por isso, os direitos e as obrigações também têm distribuição diversa.

No caso de uma adoção, isso significa: a mãe biológica deve estar em primeiro lugar no coração da criança, a mãe adotiva ou a madrasta, em segundo. Isso é válido independentemente do fato de a mãe biológica estar morta, viver em outro país ou, por outras razões, não estar em condições de criar o filho. Em caso de novo casamento após divórcio ou morte do primeiro marido, este tem a primazia perante o segundo, porque é também o pai dos filhos em comum com a mãe. E os filhos em comum do primeiro relacionamento têm primazia sobre o segundo parceiro e sobre os filhos que vierem deste segundo casamento. (Evidentemente, o inverso também vale quando a mulher casa duas vezes.)

Todavia, nem sempre é tão simples viver de acordo com essas "ordens de amor". Muitas vezes elas pressupõem "coragem para a humildade", quando, por exemplo, a dor de um amor desfeito ainda está agindo e impele para a separação. Para os pais divorciados, isso significa, portanto – por amor às crianças –, continuar a respeitar-se. Cito mais uma vez Bert Hellinger:

"Se um pós-ordenado se imiscui no âmbito de um preordenado, se por exemplo um filho tenta redimir a culpa do pai ou ser um marido melhor para a mãe, arroga a si mesmo algo que não pode, e o indivíduo, freqüentemente de forma inconsciente, reage a essa apropriação com a necessidade de fracasso ou ruína. Como na maioria das vezes isso ocorre por amor, não tomamos consciência disso como culpa. Sempre que houver um fim terrível, por exemplo alguém enlouquece, ou pratica suicídio, ou torna-se criminoso, é porque tais relações desempenharam um papel."[31]

Ninguém, portanto, pode suprir incólume a lacuna ocasionada por um dos membros da família. A consciência de parentela cuida disso.

---

31. *Idem*, p. 141.

A consciência de parentela cuida do equilíbrio

Existem duas consciências. Cada uma age a seu modo. A *consciência pessoal* perturba emocionalmente, sente bem-estar e mal-estar, julga o que é bom e ruim, recompensa quem é "moral" com reconhecimento e concede-lhe um lugar especialmente destacado na parentela, ao passo que o culpado é condenado e não é aceito na parentela. Nesse ponto agem os parâmetros de nossa educação. A *consciência de parentela* age de modo completamente diverso. Atua no recôndito de nossa consciência pessoal, porém independentemente das normas vigentes. Não se orienta segundo o comportamento do indivíduo. Como instância superior, a consciência de parentela cuida sempre da ordem no sistema da parentela. Cuida para que cada um que se introduziu nesse sistema tenha seu direito à participação. A ele pertencem não apenas os bons – estes têm direito a seu lugar de qualquer forma –, mas também as ovelhas negras expulsas, os odiados, os abandonados e os excluídos. A consciência de parentela cuida do *equilíbrio* e coloca no lugar do excluído um sucessor, que então preenche a lacuna ou é tragado para dentro do mesmo "buraco negro". O efeito da consciência de parentela pode ser imaginado como os "moinhos de Deus", que "avançam até a terceira ou quarta geração". É assim que, de uma geração para outra, o suicida tem seu sucessor, que às vezes age da mesma forma. Ele se identifica com o outro e com seu destino. Um neto compensa seu avô, excluído por causa de fraude, e transforma-se no prefeito perfeccionista. O lugar do pai, rejeitado por sua mulher como parceiro fraco, é tomado por seu filho, que experimenta a força que o pai não teve coragem de ter. O filho faz a compensação. Sacrifica-se, vivendo pelo outro. Isso acontece inconscientemente, assim como toda a consciência de parentela permanece-nos inconsciente. Age nos recônditos da alma e só chama a atenção para si por meio da dor causada pelo distúrbio da ordem sistêmica. Sendo assim, aquele que deve suprir a restauração do equilíbrio preenche a lacuna surgida. Querendo ou não, deverá cumprir sua tarefa sistêmica, muitas vezes pelo preço da auto-renúncia.

Crianças em sistemas familiares perturbados

As crianças de hoje passam por uma dura provação devido às perturbações da ordem sistêmica. O que mais acontece com elas?

Nos países de língua alemã, um casal em cada três se divorcia, e o número de divórcios tende a aumentar. A responsabilidade disso é principalmente da falta de capacidade de enfrentar conflitos. É no João que aparece o que Joãozinho já aprendera: se não se comportasse direito, era mandado para seu quarto ou para a despensa, e podia consolar-se com música ou chorando sozinho em seu canto. Devido a esse aprendizado, o marido, quando em conflito com sua mulher, retira-se para seu quarto ou para sua própria casa e refugia-se no trabalho, a fim de evitar sua depressão.

Os casamentos desfazem-se geralmente com ódio e não com respeito mútuo. Sendo assim, a criança vivencia seus pais não como unidade, mas divididos. Se é solidária com uma das partes, torna-se culpada com a outra, encontra-se no meio. Mesmo assim, muitas vezes arca com a pesada carga sistêmica de substituir um dos dois ou identificar-se com um dos dois, desistindo, desse modo, de ser criança.

Lucas, o exterminador

A mãe, participando de um seminário terapêutico, já tem um diagnóstico preestabelecido para seu filho Lucas, de oito anos: é um pequeno tirano. Como descrito no livro, é terrivelmente malcriado com ela, chama-a de "imbecil", se não o atende prontamente, ataca-a com punhos cerrados, é caprichoso para comer e culpa-a por seus fracassos escolares. Vive brigando com seu irmão Bernd, dois anos mais novo. Lucas já era difícil quando pequeno, pois teve neurodermatite. Por noites inteiras sua mãe teve de coçá-lo e passar pomada nele, esteve o tempo todo à sua disposição. Seu marido não a ajudou, deixou-a fazer tudo sozinha. A sombra que se abateu sobre o casal não pôde mais ser dissipada e finalmente o casamento desmoronou. A mãe arranjou um novo parceiro, o pai vive sozinho. Da mesma forma que antes da separação, ele não se preocupa com a educação dos filhos, embora tenha insistido na guarda conjunta destes. E ainda põe os filhos contra a mãe sempre que pode.

Durante a conversa, Lucas perturba incontáveis vezes, exigindo de tudo. Apesar de várias proibições, abre a bolsa da mãe, corre de um lado para o outro cada vez mais inquieto e faz de conta que está atirando com um rifle imaginário. A imagem de um exterminador! O boné, que não tira da cabeça por nada, lembra o capacete de um soldado em luta corpo a corpo. Na barriga carrega um cinto com uma pistola, os braços estão enfeitados com decalques de tatuagens. Assim que lhe é dada a chance de mostrar, por meio de uma montagem, como é a sua família*, age de forma inesperadamente concentrada e séria. Os pais são nitidamente separados e colocados um bem longe do outro. Coloca-se na frente do pai, e seu irmão diante da mãe, de modo a confrontar-se com seu irmão. O parceiro da mãe é colocado de costas para a família, bem na margem. Uma figura marginal, sem importância! À primeira vista, percebe-se que Lucas luta pelo pai contra a mãe. Segundo essa apresentação, o irmão mais novo também substitui o pai, mas no bom sentido, como ajudante e defensor da mãe. Os dois irmãos, portanto, continuam a luta dos pais, enquanto os pais se comunicam apenas por intermédio de advogados.

Se examinarmos como a agressividade despótica pôde surgir em Lucas, fica claro que, de um lado, a problemática do casamento e a anterior situação privilegiada como criança problemática têm influência decisiva, mas destaca-se também o fato de que o pai, por causa do cuidado excepcional com o filho, já naquela época foi posto de escanteio. Já como bebê, Lucas ocupava o lugar do pai na cama do casal, e posteriormente continuou com a substituição do pai.

Em muitos casos, *os pais ausentes* desempenham um papel importante. Neste momento, não queremos

---

* A "montagem da família", que mostra de forma impressionante quem ocupa qual lugar na família, é descrita com mais detalhes no capítulo "O que fazer?" (p. 193).

empreender uma análise acurada desse fenômeno, embora fosse tentador ocupar-se com o motivo pelo qual muitos homens preferem o que é técnico, isto é, o que é inânime. Iremos nos restringir à constatação da ampla falta do exemplo masculino nos dias de hoje. Os pais atuais desprezam em grande parte seus próprios pais, que se sujaram com a guerra e as confusões políticas. Porém, simultaneamente, negam a força masculina positiva, da qual faz parte a força agressiva no sentido de uma aproximação decisiva do problema em questão. (A palavra latina "aggredi" não tem apenas um significado destrutivo, mas também um sentido positivo de "aproximar-se de alguém, tentar conquistar alguém".) Essa força falta a muitos homens em seu relacionamento matrimonial, mas também na educação de seus filhos, principalmente quando se coloca um problema maior.

Muitos homens, contudo, desistem também de sua força paterna porque em sua família de origem, com poucos filhos pelas mais diversas razões (sociedade "sem pai" após a guerra, planejamento familiar etc.), ficaram muito tempo sob a égide da mãe, transformando-se assim em filho mimado. O menino colocava-se ao lado da mãe em lugar de seu marido. Como tinha de guiar-se pelo exemplo da mãe, não conseguiu desenvolver seu lado masculino. Quando muito, transformou-se em cópia de homem, em aproximação de um ideal, sonhado pela mulher em sua fantasia: um homem de sonho, um príncipe. Sua irmã, nessa família pequena, levava a pior, sentia-se abandonada não apenas pela mãe, mas também pelo pai, transformado num individualista rigoroso, revoltado e sensível. Freqüentemente fazia com ele um pacto secreto de solidariedade. Mais tarde, como adulta, procurou então um marido que fosse o oposto do pai severo demais. Procurou um homem afável, fraco. Mulheres intimamente ligadas a seus pais, mas que por medo de incesto não puderam se soltar totalmente, escolhiam um parceiro muito parecido com seu pai. Esse parceiro também deveria ser um homem afável e transigente. Assim surgiu entre as mulheres atuais a imagem do homem ideal: *o "softie"*. Fogem do homem com voz de barítono, que anda com outros homens em campos de futebol e lutas de boxe, que morde com gosto uma coxa de frango. Viva o tenor lírico, que brinca com crianças e come cereais com elas. Para uma amizade entre homem e mulher, um *softie* assim é bastante adequado. Porém, menos para a família, onde esse *softie* deve ser pai de um filho forte. Sem suspeitar, casou também com um emaranhado sistêmico. A mulher tende a experimentar a invejável relação mãe-e-filho, da qual fora excluída quando menina e que só podia contemplar de forma dolorosa. Agora que é mãe e teve um menino, permite-se viver o amor que não recebera naquela época, repetindo o padrão de sua família de origem. Por isso, o filho tem mais peso que o pai. Mas ao esposo *softie* falta a força para conquistar seu primeiro lugar junto à mulher e colocar a criança no segundo lugar, o de filho.

No entanto, sem dúvida outras influências estão em jogo. A mulher emancipada de hoje arroga-se o direito de ser tão forte quanto o homem. Sob os emaranhados prolongados no sistema familiar de origem, a busca geralmente bem intencionada pode muitas vezes sair dos trilhos. A emancipação ocorre na cabeça, mas no coração e no estômago estão o medo, a ira e o ódio, pois o filho transforma-se em pequeno tirano, o pai falta totalmente e a mãe nem como mãe sente-se forte, mas impotente. É bruxaria! Mas o que parece ser um destino enfeitiçado, no fundo não passa do efeito das relações originais não resolvidas. O ódio contra a própria mãe ou o pai renasce. Algumas mulheres numa situação desesperadora como essa sentem que precisam desenvolver sua força feminina. O meio mais fácil de ser mais forte que o homem é enfraquecê-lo, torná-lo mais fraco do que já era ao conhecê-lo. De fato, tenta castrá-lo psiquicamente, tão logo não necessite mais de seu tipo *softie*. Quando ele deixa de ser amigo sem compromisso ou amante, para ser apenas um aliado mais próximo, que como marido e pai deveria estar comprometidamente ao lado da mulher, esta sente falta de seu apoio masculino. Sente-se sozinha, abandonada e mãe solteira. Ela pode suportar essa situação, pois nessa sociedade totalmente organizada está socialmente assegurada. A fim de obter o apoio moral que lhe falta, une-se a outras "mães solteiras". Mas esse apoio também tem seus perigos. A mulher tem a convicção de que o homem não serve para nada. "Ah, os homens! Fogem de sua responsabilidade. São egoístas! Tão logo a criança veio ao mundo, o casamento acabou. Não suportou a concorrência do filho." Em vez de querer reconquistá-lo, seduzir sua masculinidade de forma feminina, a mulher manda-o embora. Como muitos homens atualmente não estão em condições de assumir (vide as explicações acima) seu papel de pai (no sentido do exemplo masculino de dar segurança e proteção), permitem facilmente que sejam degradados à caricatura e expulsos. Permitem ser caluniados, porque não pagam em dia a pensão, e exigem demais da criança nos fins de semana, com parques de diversão, McDonald's e jogos de computador, de modo que, a cada duas segundas-feiras, a criança se destaca na escola por seus distúrbios de concentração. A educação é deixada por conta da mãe, independentemente de ele ainda viver com ela ou estar divorciado. Nenhum dos dois aprendeu até então como resolver divergências de opinião e como entrar num acordo. *É assim que a educação torna-se cada vez mais assunto de mulher.* (Em palestras sobre educação, observo com freqüência cada vez maior que apenas cerca de 4% dos participantes são pais e não mães.) Em regra, os juizados de menores e juízes de divórcio também têm pouca confiança nos pais, de modo que raramente lhes dão a guarda de filhos mais crescidos. Coloca-se a questão: que solução seria a melhor? A *educação materna do filho contra o pai* é, de todo modo, prejudicial. Nesse caso, ou o filho debanda para o lado do pai e por *identificação* com ele torna-se *ovelha negra* tanto quanto ele, ou representa o pai, imitando seu papel de protetor da mãe. Mas isso exige muito dele e afasta-o de seu próprio eu. A história de Lucas e de seu irmão mostrou esse problema com clareza.

Sem a assimilação da problemática sistêmica, Lucas não tem alternativa a não ser lutar por seu pai. Enquanto este for desprezado pela mãe, pelo outro filho e também pelos juizados, Lucas precisa diminuir sua mãe pela tirania e infernizar seu irmão e todos os outros.

Maxi, o torturador da mamãe

À primeira vista, Maxi, o filho de quatro anos da Sra. B., é um garoto afável. No jardim-de-infância, não o conhecem de outra forma. Também é amoroso, tranqüilo e nunca agressivo com suas irmãs mais velhas, seu pai e seus avós, especialmente o avô materno. A mãe, contudo, é o alvo de seus ataques furiosos. Tranqüilo na rua e terrível dentro de casa, mas apenas em relação à mãe. Não a ouve, mas exige que ela o ouça, caso contrário, fica muito irritado. Faz suas necessidades em seu tapete mais bonito, atira suas xícaras de porcelana de Meissen pela casa e belisca-a até sangrar. Ela tem pavor dele e não ousa proibir-lhe nada. Quando ele começou a atrapalhar os preparativos para a véspera de Natal, o desespero da Sra. B. foi maior que seu pavor. Ela tentou segurá-lo da forma como ensinavam as revistas que lia. Mas tão logo pegou-o no colo "cara a cara", seu medo foi tão grande que teve ânsia de vômito e soltou Maxi em seu estado caótico. Por intermédio de perguntas orientadas, ficamos sabendo que aquela fora a primeira vez em sua vida que se permitira querer esse abraço frontal de "face a face, coração a coração". Até seu marido respeitava seu pavor de aproximar-se. Finalmente, a causa do medo da Sra. B. de aproximar-se pôde ser encontrada: quando criança, sofreu diversas vezes abuso sexual por parte de seu pai. Uma relação completa nunca ocorreu, apenas contatos íntimos e carinhos, escondidos com rigor da mãe. Ela odeia o pai até hoje por causa disso e, ao mesmo tempo, sofre de terríveis sentimentos de culpa. Por essa razão, também não consegue amar a mãe. Desde sua infância, sabe que após a morte será castigada com o inferno. Mas o inferno lhe fora revelado bem mais cedo. Quando o filhinho, por ela tão desejado, foi-lhe colocado sobre o peito após o parto, levou um susto terrível ao olhar para ele: o menino era a cara do avô.

Um comentário psicológico é quase desnecessário. Percebe-se que as complicações podem provir de gerações passadas. Como mãe internamente equilibrada, a Sra. B. podia perfeitamente apresentar-se diante da filha e educá-la sensatamente. Mas com o filho, que identificava com seu pai, provocador de medo e sentimentos de culpa, acabava fazendo o papel da criança instável, que se adapta a todas as exigências por causa do pavor e que não ousa dizer "não". Seu filho torna-se vítima e, sob a pressão de princípios sistêmicos, é obrigado a representar o avô. *Inconscientemente, Maxi é identificado pela sua mãe com o pai que abusara dela.* Dessa maneira, ela o transforma em seu torturador tirano.

Surpreendentemente, essa complicação é muitas vezes a causa da tirania em meninos. Ao mesmo tempo, chama a atenção o repúdio da mãe contra o abraço firme, difícil de ser superado. À pergunta se a criança estaria disposta a ficar mais tempo trocando carinhos com ela ou pelo menos ficar mais tempo sentada em seu colo, a mãe responde com horror: "Mas isto seria violência contra a criança! Isto eu nunca faria a ela. Sempre a deixo ir quando quer." Com base no conhecimento das ordens sistêmicas, podemos supor que o incesto é tão mais provável quanto mais perturbadas forem as relações entre o casal e quanto mais a mulher se recusar sexualmente ao marido não amado. Esses fatores favoráveis ocorreram com freqüência nas últimas duas a três gerações. O dever matrimonial, ordenado pela Igreja, hoje não é mais seguido; por isso, muitos homens buscam na filha o amor físico recusado pela esposa. Em Hellinger, lemos que no incesto "há sempre a participação de ambos os pais, o pai em primeiro plano e a mãe em segundo". Essa complicação sistêmica abala a filha. Ela intervém em favor do equilíbrio e da mãe. Seu sacrifício secreto é ligado a profundos sentimentos de culpa, incitando, conseqüentemente, reparações patogênicas. Alguns ficam psicóticos, outros recusam a sexualidade e escondem-se em conventos, outros ainda permitem ser profundamente humilhados pelo próprio filho.

Todavia, nem sempre se trata de incesto quando uma filha tem pavor do pai e o exclui com ódio de seu coração. Repudiados são também os pais e mães, tios e tias despóticos, injustos, imprevisíveis. A consciência de parentela cuida para que um dos descendentes imite o excluído. A pergunta mais segura para descobrir uma problemática desse tipo é, portanto: "A criança lembra alguém de sua família?" Ou: "O(A) Sr.(Sra.) tem medo de que seu filho fique como fulano, se continuar a se comportar dessa maneira?" Apenas a conscientização de tais identificações mostra que injustiça a criança sofreu, e apenas a resolução da identificação liberta a mãe de sua pressão interior de precisar ter medo de seu filho.

Hubert, o primeiro

Os pais de Martina marcaram uma consulta por causa dela. Com seus 14 anos, é rebelde demais. Ao que tudo indica, está passando por uma crise de puberdade extrema. Porém, o exame mostrou que a crise já durava cinco anos e que fora provocada não pela puberdade, mas pela perda de seu lugar de primogênita. Até os nove anos foi filha única, à qual nada faltava. Era amada por todos, mas também aceitava os limites a ela impostos. Desejou o irmãozinho tanto quanto os pais. Mas logo houve a mudança. Desde o momento do parto difícil, ligado a uma falta de oxigenação, a mãe amedrontada só cuidava do bebê. Martina não podia nem mexer nele, para não haver a possibilidade de causar-lhe algo. O pequeno Hubert, apesar de todas as situações de risco, transformou-se no queridinho da família. Mas só ficava feliz quando seus desejos eram todos realizados. Caso contrário, berrava até ficar sem ar. Também exigia que Martina lhe fosse solícita como a mãe. Sendo assim, a menina tinha de pegar do chão tudo que ele atirava e deixá-lo vencer sempre em jogos de disputa. Só podia se queixar com o pai, que a ouvia. Mas quando este tentava defendê-la, havia sempre briga entre o casal. No jardim-de-infância, Hubert chamava a atenção por seu comportamento onipotente e egoísta. Especialmente graves eram as queixas sobre a agressividade de Hubert, que a dirigia de preferência contra as meninas, quando elas não lhe obedeciam. "Mas ele apenas quer ser gentil com elas!", exclamava a mãe. Culpada era a Martina. Ela o acostumara a isso, pois ele tinha de atormentá-la bastante até que ela fizesse algo por ele. Martina, que presenciava a conversa em silêncio, atirou com raiva seu molho de chaves na mesa e gritou: "Agora chega!", e saiu correndo da sala. "Agora a Sra. sabe por que estou preocupada com Martina", disse a mãe em seguida. Demorou muito até os pais entenderem que a criança-problema não era Martina, mas o pequeno tirano Hubert.

De acordo com a ordem sistêmica na hierarquia entre irmãos, independentemente de sexo ou necessidade de cuidados, a seqüência temporal de nascimento é decisiva. O primogênito tem direito ao primeiro lugar, o segundo ao segundo e assim por diante. O primeiro tem mais deveres, mas também mais direitos, o segundo não precisa assumir tantas obrigações, em compensação tem menos direitos.

No caso de Martina e Hubert, o problema estava no fato de a *hierarquia dentro da linhagem de irmãos ter sido trocada.* A primogênita Martina entregava totalmente seu lugar de destaque ao irmãozinho. A ela restaram apenas as obrigações; os direitos foram perdidos para o irmão menor. E embora ele fosse o mais novo, recebia todos os direitos, enquanto Martina, a mais velha, tinha de se subordinar a ele. Ele, por sua vez, não precisava se preocupar com nenhuma obrigação. Seria seu dever, por exemplo, pegar sozinho os objetos que deixava cair no chão. Ou, no jardim-de-infância, ficar sentado no círculo de cadeiras e não ficar andando de um lado para o outro. Desse modo, tanto entre os irmãos quanto na relação dos pais com a criança, o *equilíbrio entre dar e receber* saiu dos trilhos. Desde o nascimento de Hubert, Martina tinha de dar-lhe tudo, mas não recebia nada dele em troca. Enquanto ele não tinha a capacidade de realizar sozinho esse equilíbrio, os pais tinham de realizá-lo por ele, a fim de honrar o comportamento de Martina. Ela era injustiçada, sem dúvida, pois Hubert apenas exigia e considerava cada vez mais essa exigência como algo natural, que transferiu também para o jardim-de-infância. Ele não aprendeu que existem meios para estabalecer o equilíbrio – pelo menos sua disposição de adaptar-se à comunidade ou de suportar a perda no jogo.

Ninguém consegue suportar ileso um equilíbrio cronicamente perturbado. A complicação de Martina fará com que recupere indiretamente aquilo de que sente falta. O caminho seguinte poderia conduzir ao pai, junto ao qual busca então o amor que a mãe lhe nega – uma situação possivelmente perigosa, pois o limite do incesto é facilmente transposto. Mas é possível também que Martina se desvie desse perigo e logo queira sair de casa, para buscar o amor em outro lugar. Muito provavelmente, quando for mãe, repetirá o comportamento de sua mãe, de modo a delegar a seu filho seu direito de receber. Evidentemente pode-se querer saber se também Hubert tinha de se tornar vítima da situação, já que tudo lhe era dado. Com toda certeza, pois o pequeno tirano paga um alto preço pela sua necessidade constante de receber: não lhe é dado o amor de seus semelhantes.

Sempre houve perturbações fatais na hierarquia dos irmãos, como nos mostra a história de Caim e Abel. Quanto maior o grupo de irmãos, mais cedo pode-se desviar das complicações. Nas atuais famílias com poucos filhos, todavia, todos são atingidos. Isso torna ainda mais necessário um remanejamento no sistema familiar, para que em nenhum dos filhos surja um sentimento errôneo de valor próprio.

Kevin, o adotado

"No fundo, é um garoto bem bonzinho", relatam os pais adotivos. "Só que em ocasiões especiais na família, quando parentes e vizinhos se encontram para festas e passeios, ele fica totalmente desatinado. Grita que somos todos idiotas e que ele se aborrece. Estraga todas as festas. Já experimentamos de tudo, mas nada adianta. Por exemplo, a conselho de um terapeuta de comportamento, prometemos-lhe que receberia uma ficha se ficasse quieto durante cinco minutos. Se juntasse cinco fichas, ganharia a fazenda Playmobil, que tanto desejava. Mas não adiantou, não conseguiu agüentar nem os primeiros cinco minutos. Também já o abraçamos, para que pudesse desafogar suas mágoas e também sentisse nossos sentimentos feridos. Ele apenas ri. É como se um comando interno o obrigasse a detonar o mundo em festividades, como se fosse um terrorista. Que vergonha, que vergonha! Sentimonos expostos como pais, ainda mais porque somos pedagogos."

Quando Kevin fez a montagem de sua família, sua ligação emocional com a mãe biológica ficou visível. Os pais adotivos, contudo, foram postos à margem. "Não podemos esconder a mãe de nosso Kevin. Ele esteve com ela até os quatro anos. Mas nunca falamos mal dela." "E bem, os senhores falam?", pergunto. "Como se pode falar bem dela, se lhe foi retirada a guarda da criança!?" Kevin sabe, portanto, que sua mãe é desvalorizada pelos pais adotivos. Por essa razão, não consegue ser-lhes completamente grato. No fundo do seu coração, precisa defender a mãe biológica e desvalorizar os pais adotivos sempre que pretendem valorizar-se socialmente com ele como seu filho único.

Para toda criança adotiva é importante que lhe seja possível honrar seus pais biológicos. Sob a influência dos conhecimentos de princípios sistêmicos, pouco a pouco a mentalidade dos órgãos mediadores de adoção também começa a se modificar. Isso ficou ainda mais importante desde que o cenário da adoção sofreu transformações. Devido à contracepção em nossa sociedade, há cada vez menos crianças para os que desejam adotar, de modo que cada vez mais são adotadas crianças dos países em desenvolvimento. Quando fazem a *compensação para seus pais excluídos* e se transformam então em "reis negros" ou "caciques" tiranos, não se fez um favor nem a eles, nem a seus pais adotivos. A adoção só pode ocorrer com justiça quando se possibilita à criança adotada manter laços afetivos com seus pais e irmãos biológicos – independentemente se vivem lá longe no Sri Lanka, se morreram em Sarajevo ou perambulam pela zona de drogas de Zurique.

Como o domínio do ambiente se transforma em vício

Gostaria mais uma vez de acentuar que faz parte do desenvolvimento saudável de um indivíduo experimentar a própria eficiência desde o início da ação dirigida. Quanto mais reais forem as experiências da criança com o próprio poder e o próprio domínio – a essa realidade pertence também a percepção dos limites do factível –, tanto melhor será o desenvolvimento da identidade do ego, o julgamento das próprias forças e fraquezas, dos outros indivíduos e o respeito por eles, bem como o verdadeiro amor por si mesmo e pelos outros.

As amostras de seu "poder aparente" marcam a criança e transmitem-lhe um sentimento não verdadeiro. O poder pode ser bom, mas a dependência obsessiva dele é ruim. Em sua onipotência, a criança tem a sensação de ser mais forte que a mãe. Esse sentimento em si não é ruim e deve, vez por outra, surgir durante a vida, se possível já na fase da birra e o mais tardar na puberdade, quando o "desejo é pai do pensamento e da ação" e queremos fazer tudo melhor do que os nossos pais fizeram. Isso estimula o desenvolvimento humano. Mas uma criança é exigida demais com tal sentimento. Na mesma relação em que se sente a mais forte, sente a mãe como a mais fraca.

O devastador nisso é que a criança tem esse conhecimento numa fase do desenvolvimento em que sua necessidade básica de segurança exige uma satisfação imediata. As conseqüências desse acontecimento, isto é, de a criança obter o poder sobre a mãe ainda na fase do relacionamento simbiótico com ela, aparecem imediatamente: com uma mãe fraca e volúvel, a criança não consegue mais achar a segurança, o apoio e a orientação. Seu medo diante da perda da segurança aumenta. A fim de apaziguar esse medo, sente-se instintivamente obrigada a fazer uso de uma satisfação compensatória. A experiência de momento mais confiavelmente exeqüível, que preenche as expectativas e que "funciona" melhor consiste no exercício do próprio poder sobre o ambiente mais próximo. A criança transforma essa experiência em meio compensatório. No fundo, é uma tentativa desesperada da criança de sentir-se segura nesse mundo assustador, dominando-o. Um sistema de defesa contra o caos.

O exercício do poder como meio compensatório para necessidades básicas não satisfeitas é uma premissa perigosa para o surgimento de uma dependência da tirania. Os meios compensatórios nunca conseguem satisfazer as necessidades básicas. A satisfação incompleta tem como conseqüência a utilização cada vez mais constante do meio compensatório na forma da tirania, transformando-se, finalmente, em obsessão.

Qualquer dúvida do poder é sentida como ameaça contra a segurança. Essas experiências afetivas encontram-se em estreita relação de dependência entre si, pois a segurança foi compensada pelo poder. Apenas dominando o ambiente a criança sente-se segura. Toda experiência contrária, isto é, a adaptação a uma vontade estranha, tem como conseqüência a perda da segurança, equivalente a um risco de vida. O domínio não nasce da arbitrariedade infantil, mas é sua ação necessária para a própria sobrevivência.

Os efeitos da tirania na adaptação exigida

Tendo que vigiar constantemente as relações de poder e defender-se contra influências não domináveis, a criança afetada entra numa *inquietação permanente* e *não consegue ficar tranqüila*. Precisa verificar incessantemente se as relações em seu império ainda são corretas: se não lhe é enfiado um alimento indesejado na boca, se a velocidade com que é carregada no colo é mantida, se no manuseio do controle remoto da televisão o pai não a antecipa, se a mãe senta no lugar exigido etc. A necessidade permanente de dominar, controlar, desafiar, estar no centro das atenções e a defesa contra as ofertas de aprendizado – onde eventualmente poderiam ser encontradas fraquezas na criança – colocam-na num estresse que se manifesta sob forma de tensão nervosa, hiperatividade e falta de concentração. Esses estados estressantes têm o efeito de um *círculo vicioso*: quanto mais estressada e insegura estiver a criança, mais terá de fazer uso de suas seguranças substitutivas.

O foco de toda essa aflição está na *rejeição obsessiva à adaptação*. Como a adaptação não foi, por assim dizer, incorporada à proteção do lar, mais tarde, devido às exigências narcisistas crescentes e do eu mais consciente, é sentida como ofensa, injustiça, desafio, como motivo para rejeição e rebelião. A adaptação é, portanto, algo estranho, perigoso, contra o qual é necessário defender-se.

A criança entra numa ambivalência atormentada entre seus maiores desejos e o medo de se adaptar, a fim de conseguir que seu desejo seja realizado. Isso resulta numa dilaceração interna. A criança tem imensa necessidade de receber amor, mas não consegue adaptar-se à oferta de carinhos por parte da mãe. Gostaria muito de poder relaxar junto ao pai, mas não pode porque precisa dominá-lo. Gostaria muito de poder comer até saciar-se, experimentar a comida dos outros, mas não consegue adaptar-se à oferta de comida. Prefere morrer à míngua a submeter-se à oferta de comida. Quanto a isso, fica claro que a necessidade de segurança – com a satisfação compensatória do poder – tem primazia em relação às necessidades vitais básicas de alimento. Se essas crianças não fossem tão infelizes, dever-se-ia admirá-las por sua capacidade de imposição. Uma impressão inesquecível causou-me Alexandra, de três anos e meio, internada num instituto voltado à terapia comportamental, devido a uma hipotonia muscular e à recusa do tratamento terapêutico. Conseguiu "ganhar seus petiscos com esforço". Durante três meses recusou-se toda tarde e toda noite a adaptar-se à terapeuta, preferindo passar fome. De madrugada, buscava pepinos em conserva na geladeira às escondidas, a fim de mitigar um pouco a fome.

Com sua recusa obstinada, algumas crianças, sem saber, colocam-se em estados de risco de vida. Recusam toda e qualquer prescrição do médico, seja um determinado remédio, uma injeção, uma dieta ou o repouso. Um menino de dez anos poderia ter prolongado sua expectativa de vida, se tivesse conseguido se adaptar às ordens médicas por causa de sua diabete. Não se deixou convencer nem pelo médico, nem pelo apelo aflito dos pais.

Em adultos tiranos conhecemos tais tendências destrutivas. Lembro-me de um marido que, embora reconhecesse a falta de sentido de seus argumentos contra a realização profissional de sua esposa e a amasse, não conseguia retroceder na sua decisão de divórcio segundo o lema "ou eu ou sua profissão", e preferia cair em profunda solidão e depressão. Reagia com pânico a todas as tentativas de parentes e amigos de fazê-lo voltar atrás em sua decisão, entrava numa pré-paranóia e começava a beber.

A necessidade do onipotente de decidir sobre *tudo* leva-o também a perder *tudo.*

A criança tirana gostaria muito de brincar e também nesse aspecto é impedida por si mesma. Precisa desistir de brincar com outras crianças porque não consegue adaptar-se às idéias de brincar dos outros, não consegue esperar, não pode desistir da necessidade de ser o centro das atenções e de maneira alguma pode perder no jogo.

O aprendizado escolar, a educação e a observação de outras regras de jogo nas situações gerais de vida, que requerem, obrigatoriamente, uma adaptação, também são bloqueados pela criança, pois esta precisa manter obsessivamente seu "programa de governo". Qualquer divergência com as próprias dificuldades é considerada perda de poder. Mas tais divergências fazem parte do aprendizado! Há crianças que boicotam tão fortemente o aprendizado que acabam sendo consideradas deficientes mentais.

Toda adaptação é igualada à perda, e cada perda significa para a criança privação de satisfações compensatórias. Essa criança não é diferente de qualquer viciado privado de seu vício. Surgem manifestações de privação como pânico, depressão profunda e perda de controle contra essa insegurança.

Para a criança, torna-se fatal o fato de *não poder defender-se contra a adaptação com agressão verdadeira.* Essa dimensão vital, que normalmente concede à criança a força e a coragem de desistir da ligação e ousar um desprendimento, oferecendo uma resistência irada contra a resistência, normalmente é recusada à criança tirana. A criança encontra-se *bloqueada na etapa da raiva,* essencialmente mais imatura que a da ira. É a etapa do bebê, na qual surge o perigoso sentimento de onipotência. Normalmente, a ira começa apenas na fase da birra. Entre raiva e ira existe uma diferença qualitativa. Cito Alexander Lowen: "Num ataque de raiva há um forte elemento da ira, mas ambas as expressões não são idênticas. A raiva tem uma qualidade irracional – pense-se na expressão 'cego de raiva'. Ira, em oposição, é uma reação concentrada, dirigida à eliminação de uma força que age contra o atingido. Tendo a força sido afastada ou eliminada, a ira se aplaca... A raiva não está adaptada à provocação, é exagerada. A raiva não pára, mesmo se a provocação tiver sido afastada; continua até esgotar-se. E a raiva não é construtiva, mas destrutiva..."[32]

Por causa da transigência dos pais, a criança não chega a experimentar a raiva correta e totalmente. Não é capaz de concordar, pois não consegue colocar-se emocionalmente na situação de seu oposto, nem adap-

32. A. Lowen: *Narzißmus*, Munique, 1984, p. 110.

tar-se de maneira sensata à sugestão de uma solução. Um acordo seria uma capitulação insuportável. Não existe o meio-termo.

O campo de conflitos no qual a criança quer afirmar-se surge, de um lado, entre as exigências da vida, cheia de modificações e adaptações necessárias, e, de outro, a insistência obstinada no sistema de segurança próprio, construído pela criança para sua autoproteção. As melhores energias são gastas na luta contra o ambiente. A criança faz "esforços enormes, a fim de assegurar seu sentimento de valor próprio; constrói seguranças que protegem o eu de ameaças externas e devem conservar e impor sua exigência de poder, valor e supremacia. Porém, um sistema de seguranças fixa o ser humano em si mesmo, afasta-se das exigências da vida em comum e segue sua própria lógica pouco realista"[33].

Uma vez que nem as próprias forças nem as do ambiente são julgadas de forma realista, o eu não consegue adaptar-se às exigências da vida, não consegue medir-se nem impor-se. E é desse campo de conflitos que deveria surgir o meio-termo. Mas isso não pode acontecer!

O medo da perda da segurança, ocasionado por esse campo de conflitos, e a inquietação concomitante exigem compensação interna e sossego.

Se a criança é capaz de suportar o campo de conflitos, arranjar-se com ele, se reage defendendo-se dos medos ou com distúrbios sérios, vai depender de suas capacidades psíquicas e intelectuais, de sua produti-

---

33. H. Hobmair e G. Treffer: "Individualpsychologie", *in*: *Erziehung und Gesellschaft*, Munique, 1979, p. 49.

vidade na respectiva etapa de maturidade e da reação do ambiente. Quanto mais confiável e eficaz o sistema de defesa se mostrar, mais rapidamente será aprendido e estabilizado. O sucesso desse processo de aprendizado depende basicamente de se evitar com êxito a adaptação. A seguir, relato como "exemplo" algumas *tendências* das inúmeras variações e combinações de tais sistemas de defesa:

– Uma criança que tende à introversão e ao medo irá dirigir suas exigências tiranas contra a mãe, a fim de continuar tendo com ela uma ligação simbiótica (tendência a uma síndrome simbiótica-psicótica, segundo Mahler).

– Uma criança menos favorecida intelectualmente, com uma tendência à introversão e ao medo, irá recusar as ofertas de aprendizagem, retroceder mentalmente e eventualmente desenvolver sintomas autistas.

– Uma criança intelectualmente mais madura, com tendência à introversão e ao medo, ao confrontar-se com situações novas, relativas ao chamado medo de tomar decisões, estará sujeita a desenvolver medos neuróticos do próprio medo e a incluir o protetor potencial em seus medos (tendência a neuroses de medo ou à neurose histérica).

– Uma extroversão e um temperamento dinâmico permitem à criança estender seu domínio ao mundo todo. Umas conseguem fazer isso com charme, outras utilizam agressões físicas brutais. Essas crianças com tendência a agressões trilham o "caminho do mal", pois através de suas ações destrutivas podem certamente desencadear as reações previsíveis do ambiente. "Sabia que o professor me botaria para fora da classe", diz o malfeitor e sente-se seguro naquele momento (tendência à perturbação anti-social da personalidade[34]).

– Uma criança inteligente e com talento para o uso da linguagem irá utilizar seu conhecimento superior e a justificativa do próprio direito e da culpa inequívoca dos outros, a fim de manipular seu oposto com o código moral estabelecido por ela mesma (entre outros, a tendência à "síndrome do auxiliador", segundo Schmidbauer).

– Uma criança doente e menos capaz de se impor irá utilizar a doença, demonstrar seus sintomas, como falta de ar em caso de bronquite, tonturas em doenças de ataques etc., a fim de movimentar o ambiente segundo suas próprias expectativas (tendência a doenças psicossomáticas).

O exercício do poder no âmbito dos sistemas de defesa pode, portanto, ser bastante diferente: "expressão simbiótica", manipulação, recusa, "fazer o papel de bobo", doença, violência física, demonstração da fraqueza, acusações de culpa, charme, obrigação de ajudar etc.

Os efeitos da tirania no desenvolvimento da personalidade

O esquema 3 deixa claro que o bloqueio leva ao enfraquecimento de toda a personalidade. São afetadas tanto a afetividade e a capacidade emocional de assimilação quanto o comportamento social e os processos mentais.

---

34. Cf. *Diagnostisches und Statistisches Manual Psychischer Störungen, DSM III*, Weinheim e Basiléia, 1984.

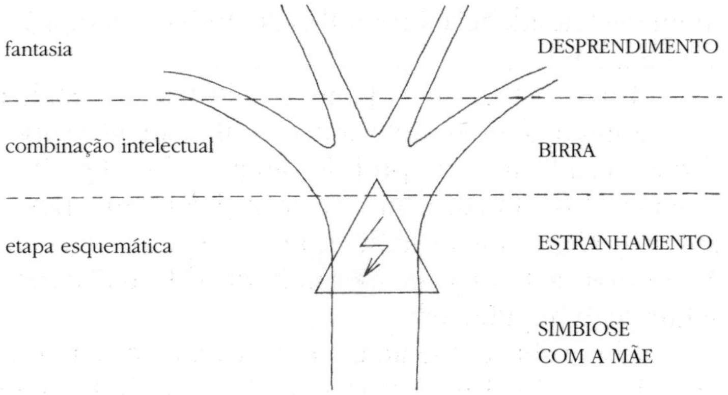

Esquema 5: Disposições e capacidades bloqueadas

Ao lado de tendências individuais, como a estrutura de vocação e a capacidade de imposição, entre outras, é significativo para se ter a dimensão do dano saber em que etapa se encontrava o desenvolvimento da compreensão da realidade na época da tomada do poder. Poder-se-ia compará-lo com uma rua, na qual pouco antes da bifurcação ocorreu uma explosão.

O dano espalha-se em todas as direções. Os veículos na rua principal engarrafam-se diante do local do crime; não conseguem continuar andando.

Assim também permanece a *ligação simbiótica* com a mãe, todavia com a diferença de que em vez de a criança ser movimentada e dirigida pela mãe, esta é movimentada pela criança. O bebê se realiza ao puxar a mãe pelo cordão umbilical não mais visível, mas existente. Se a catástrofe ocorreu pouco antes da bifurcação, na época do *estranhamento*, este fica bloqueado, ou pelo menos abalado. Atingidas são também as capacidades decorrentes do estranhamento: a distância, a disposição para esperar, aguardar as reações alternativas da mãe ("Será que ela me dá o seio já ou tenho de chorar primeiro?", "Será que me pega no colo ou tenho de chorar primeiro?"). Todavia, poderá ter participação na ausência da fase de estranhamento uma perturbação da necessidade de ligação do período inicial de vida. Quanto mais ligada à mãe estiver a criança, mais sente e estranha sua falta – e vice-versa. No nosso exemplo de um ataque a bomba, imagine-se um veículo potente, sem combustível suficiente, e que pára o trânsito até o local do crime.

Podemos comparar o raciocínio a aviões voando por cima do local. Em todo caso, as medidas de segurança da etapa atingida influenciam o raciocínio ao apoiar-se nos esquemas domináveis, uma vez que são previsíveis. De acordo com a inteligência, freqüentemente desenvolve-se a partir disso um raciocínio altamente técnico. (Fica a pergunta se existe alguma relação entre esse raciocínio linear, para o qual os homens têm um talento especial, e sua tendência à tirania.) A disposição para a combinação intelectual em "bifurcações", livre, disposta a alternativas, que fundamenta a denominada inteligência social, a capacidade de entrar em acordo e semelhantes, é bloqueada. Quanto mais lento o raciocínio, mais permanece preso à simplicidade dos esquemas originais: uma determinada causa tem um determinado efeito. Por exemplo, cada vez que se apertam os botões da televisão, a mãe ralha. Se mesmo numa criança mentalmente fraca, eventualmente com deficiência sensorial ou da fala, tivesse início a combinação intelectual, esta tenderia a um retrocesso – proibição de vôo para aviões em camadas atmosféricas superiores –, tão logo fosse abalada por uma perda da segurança.

Dependendo de como e se, na hora do alarme de crise, o raciocínio concreto estiver formado, a referência à realidade sofre maior ou menor abalo. Mas se as relações no mundo externo são captadas de forma realista, a avaliação do próprio valor e dos valores dos outros foge da realidade. Existindo uma vocação especial para a fantasia, que principia logo na etapa do raciocínio esquemático e sobrevoa a etapa da combinação intelectual concreta, sem nela ter captado a realidade, é favorecido um raciocínio psicótico, estranho à realidade – a criança acredita realmente ser o Rambo que todos devem temer.

Como num mosaico, apenas certas estranhezas comportamentais cabem na imagem.

Por que não se realiza a fase da birra?

Porque a criança não tinha necessidade da birra para delimitar seu eu do você. Anteriormente, como soberano, já havia colocado barreiras contra os súditos. Se estes não obedecerem, o tirano manifesta seu desagrado com raiva, muito mais primitiva, infantil e destrutiva.

Por que o pequeno tirano necessita de menos meios compensatórios (como a chupeta) ou objetos de transição (como um determinado animal de pelúcia), que as outras crianças normalmente utilizam como pessoa de referência em lugar da mãe, a fim de se desligar dela?

Porque o exercício do poder nesse momento se transformou numa experiência muito mais confiável, possível de tornar efetiva e perceptível do que qualquer outro meio compensatório. Os pequenos tiranos geralmente usam chupeta somente quando desistem

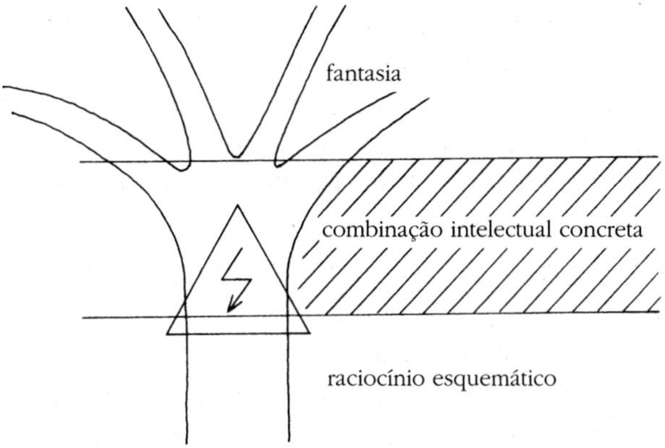

Esquema 6: Bloqueio da compreensão da realidade

temporariamente do poder e precisam se acalmar para adormecer.

Na verdade, a criança ainda está presa ao "ninho". Sente a mãe, por ela tiranizada, fisicamente tão próxima que não precisa substituí-la por objetos de transição. Sua falta não é sentida, portanto, não precisa ser substituída.

Por que o pequeno tirano não consegue soltar-se da mãe?

Não consegue soltar-se da mãe porque ela representa o império no qual, como todo-poderoso, ele se sente seguro. Quanto mais se sentir ameaçado por outras pessoas (no *playground*, no jardim-de-infância), mais agarra-se à mãe – até se incorporar a ela. A mãe é o que sobrou do seu reino. Mas, apesar da ligação com a mãe, continua não se sentindo seguro, pois sente-a como mais fraca e precisa dominá-la. Um círculo vicioso, do qual não consegue sair! Enquanto a criança não conseguir satisfazer a necessidade de segurança, não será capaz de se soltar.

Por que a criança não consegue desenvolver um eu social forte, capaz de suportar cargas?

Algumas barreiras bem próximas ao local do crime impedem o caminho:

Pelo medo de adaptar-se a mudanças imprevistas, que podem privar a criança do poder, a vontade empreendedora é bloqueada.

A vontade ausente de delimitar o eu do você, ao confrontar o oposto, imitá-lo, sentir, agir, tratar e procurar novos caminhos com ele, não permite que a verdadeira vontade se desenvolva.

O tirano não tem o prazer de experimentar e expressar os sentimentos fortemente opostos, que tornam o homem vivo e consciente, nem a ira e o amor, o medo, a coragem e similares.

A afetividade é estagnada na etapa do inconsciente. Todas as atitudes infantis permanecem; delas fazem parte o egoísmo, o esforço egocêntrico para ser centro das atenções, as exigências totalitárias e obstinadas, o narcisismo, bem como a sensação de onipotência no "universo mágico" ("Se alguém me fizer algo, meu céu desaba").

Se a criança atingida dispõe de forças internas de desenvolvimento para romper o bloqueio, essas passagens estreitas tornam-se mais estreitas ainda. O desenvolvimento posterior produz apenas um eu aparentemente forte, mas no fundo instável. A afetividade infantil, que continua a se estender, indica o caminho para uma personalidade egocêntrica, anti-social, com tendência à auto-idolatria, à supervalorização de si mesmo, ao desprezo e ao abuso dos outros.

A experiência do amor não existe para o tirano. Ama o próximo apenas unilateralmente. Ama-o a fim de receber dele. E de si próprio gosta apenas enquanto puder exercer seu domínio.

Sendo assim, o sucesso do tirano transforma-se em medida de todos os sentimentos e relações, mas simultaneamente em fonte de uma insatisfação constante, em tensão e medo de perder o poder.

A retirada do poder leva a uma crise. Descompensação na criança

Enquanto a criança puder compensar com sucesso sua necessidade básica de segurança ao dominar o ambiente, tem a sensação de que seu mundo está em ordem. Inevitavelmente, a necessidade de ter de se adaptar na vida acaba, contudo, afetando a todos. As pessoas de referência muitas vezes desconhecem as situações críticas da criança. Minimizam seus problemas ou acreditam poder lidar com elas de forma realista. Mesmo querendo, não se consegue preservar a criança das crises. Nesse sentido, a maioria dos pais tende a auto-recriminações desnecessárias. O contrário é a realidade: tais confrontos com a realiade fazem parte da força vital ativadora. Para a criança despótica, esses confrontos têm um significado especial, pois pela primeira vez chamam a atenção para sua aflição e para a necessidade de ajuda.

Para a criança, inicia-se o seguinte processo patológico: a compensação até então conseguida por meio do domínio do ambiente como segurança substitutiva transforma-se numa descompensação drástica por causa da privação dessa satisfação compensatória. A criança perde sua segurança aparente, não se sente amada, mas sozinha e correndo risco de vida. Nesse momento, de acordo com suas disposições de personalidade, tende a um colapso depressivo ou à mobilização imediata de novos meios compensatórios, especialmente de caráter agressivo.

A seguir encontram-se alguns exemplos de motivos para a descompensação e suas reações.

Motivo para a descompensação: primeiros incentivos à adaptação ativa ao parceiro

Para Luisa, prensar os dedos foi, de certo modo, a gota d'água: houve uma descompensação. Aconteceu com a menina o que ocorre com muitas outras crianças que começam a falar e a brincar. Devido a suas capacidades adquiridas, são estimuladas à comunicação e a brincar juntas. As muitas perguntas e os estímulos para brincar ("Como você se chama? Como faz o cachorro? Jogue a bola para mim! Dê um beijinho na boneca" etc.) levam uma criança assim ao "estado de xeque-mate". Conheço crianças que, em situações como essas, viram o jogo imediatamente e transformam a mãe em marionete.

Reações: recusa total de alimentação – retrocesso do comportamento já adquirido ao brincar – recusa em conversar ou de estímulos para brincar – mutismo – união com a mãe, entre outras.

Motivo para a descompensação: perda da situação de centro das atenções na família

Michael sentiu-se destronado com a chegada da irmãzinha.

A princípio, Phillip não se sentiu inseguro com a chegada de mais um irmão; somente quando este se transformou em criança-problema por causa de um acidente e, portanto, indubitavelmente no centro das atenções da família, dos parentes, médicos e amigos.

Marion usufruía de toda a atenção da avó. Podia fazer com ela o que quisesse. Quando a avó teve de fazer um tratamento, o mundo ruiu para ela.

Reações: princípio de um comportamento altamente destrutivo – "estorvo" – "malvadeza" (por trás disso esconde-se a tentativa desesperada de provocar as reações, ainda que negativas, do ambiente, para poder chegar ao centro das atenções mesmo que com meios negativos) – entre outros.

Motivo para a descompensação: perda da imagem de ser o único, mesmo fora de casa

Assim como Alexander – em vez do papel de príncipe junto à professora e em vez de dar as ordens aos colegas de classe, experimenta a humilhação de todos –, muitas crianças passam por isso, do jardim-de-infância ao ginásio. Johannes, de cinco anos, não conseguiu se impor com suas idéias de brincadeiras, que consistiam em esquemas de ação curtos e agressivos – como "mãos ao alto" ou "atire". Apesar de suas dificuldades de aprendizado, Bernd foi até o terceiro ano o preferido da professora. Somente após a mudança desta ele experimentou o confronto com a dura realidade, ao ter de se adaptar. O filho adotivo Heiko perdeu dolorosamente sua imagem de caçador de fianças. O mundo ruiu para Sebastian, igualmente adotado, quando ele – já no ginásio –, pela primeira vez, não tirou dez em inglês, mas apenas um oito.

Reações: agressões e perda do controle contra professores e colegas – repúdio da própria culpa e imputação da culpa a outros – os coetâneos não se tornam amigos, mas rivais (Johanes esconde-se por meses no papel de um feiticeiro, que resolve todos os problemas e mata todos os inimigos) – entre outros.

Motivo para a descompensação: reconhecimento da própria deficiência parcial da capacidade

Crianças inteligentes, estrelas indiscutíveis, constatam repentinamente e sem esperar que têm pequenas deficiências parciais de capacidade, como legastenia, gagueira, dificuldades com a motricidade rudimentar no futebol ou no esqui. Teriam agora uma chance, se se esforçassem e exercitassem ainda mais. Já é difícil para a criança mimada adaptar-se a dificuldades diferentes, mas para o tirano a adaptação está fora de questão. Sua recusa é obsessiva, desvia-se da realidade e é autodestrutiva. Admitir um sentimento de necessidade significa a sensação insuportável de perder o poder e de estar à mercê de uma vontade estranha. A tragédia dessa criança não é a deficiência parcial da capacidade, mas o distúrbio da personalidade.

Reações: Recusa de ajuda – depressão – palhaçadas – queixas psicossomáticas – entre outros.

A decepção dos pais com a criança e consigo mesmos muitas vezes acontece somente quando a descompensação se torna aparente. Até então, os pais tentaram encobrir os comportamentos estranhos como um disparate momentâneo e passageiro, tentaram regular e defender a criança. Só a insuportabilidade dos distúrbios de comportamento torna o desenvolvimento falho visível. Os pais sentem que suas metas educacionais e suas expectativas relacionadas ao eu voltam-se para o oposto. Por causa das discrepâncias no tratamento educacional e da questão da culpa, freqüentemente acabam brigando. Em vez de uma criança alegre e sem problemas, têm agora um estorvo. Em vez da liberdade sonhada para si e seus filhos, vêem-se agora mais aprisionados do que quando moravam com os pais. "Não agüento mais, não tenho mais sossego. Onde ficam as minhas necessidades? Tenho que deixar essa criança cruel me espoliar totalmente? De quem será que herdou isso? Quando me puxa pelos cabelos e me bate, bem que eu gostaria de dar-lhe uma surra e de jogá-la contra a parede. E quando meu marido me culpa pelos distúrbios comportamentais de nosso filho, tenho vontade de agarrar a criança pelo braço e saltar pela janela com ela... Por que é que eu fui casar?..." Foram essas as queixas que ouvi de uma mãe atingida. Mas seu marido não se sentia melhor: "Minha mulher não me pertence mais. Ela deixa-se levar feito marionete pelas mãos de nosso filho. Quando chego em casa depois do trabalho, ela não tem tempo para mim. É totalmente requisitada pelo filho. Se digo algo contra, ela acha que estou com ciúmes. Se grita feito histérica comigo, sinto-me um cachorro que levou um banho frio. Então desisto, pego meu trompete e vou para o porão. Será que não seria melhor ir embora de vez ou bater na mesa?" Assim sentem-se muitos pais: "Cada vez mais negativo se torna esse monólogo... Começa a surgir aborrecimento por causa da criança, ira, talvez até uma pitada de ódio. Sentimentos altamente agressivos ganham liberdade. Falta apenas uma faiscazinha, e então estoura. Tentativa em vão de mostrar amor, ao que tudo indica, tem efeito corrosivo nas membranas da nossa alma..."[35]

---

35. H. Grothe: "Verwöhnt! Wenn Kinder zu Tyrannen werden", *in*: *Eltern*, 5/1986, p. 40.

Uma *ambivalência* cada vez mais forte *entre amor e ódio* corrói o amor-próprio de cada um, o relacionamento entre os casais e a relação entre o filho e seus pais. Um labirinto afetivo, cheio de ruas sem saída, passagens estreitas e ciladas imprevisíveis, no qual encontra-se a ameaça de morrer sufocado. Uma saída só seria possível por meio de um ato de força. Para maltratar a criança falta um pequeno passo. E esse passo é dado quando a raiva e o medo são grandes demais e o autocontrole deixa de funcionar sob o estresse insuportável. Por medo de um represamento de tais agressões, os pais retiram-se de cena. No entanto, ao bloquearem a expressão de seus sentimentos profundos, ao lado da raiva o amor também é impedido de fluir. Sendo assim, não se experimenta nem fogo nem água e não se manifesta nem um sim, nem um não. Com medo de escorregar em atitudes incontroláveis, o tom educacional desemboca em regularidades convencionais. Com um sorriso extremamente afável, a mãe avisa o estorvo: "Por favor, tesouro, não berre assim comigo quando estou ao telefone."

Como não são oferecidos limites ao seu sentimento, mas apenas insinuações e meias verdades, a criança não consegue sentir os pais. Sente-os como uma massa maleável, que deve ser agarrada com força para adquirir uma forma mais firme. Portanto, ataca os pais, a fim de desafiar a firmeza dos mesmos. Sempre consegue provocar um protesto visível contra si. Mas dessa forma a criança estimula sua própria ambivalência entre seu desejo natural e infantil de força paterna e sua dependência do próprio poder. Pois o pequeno tirano não se deixa abater, mas acredita ter de defender-se contra uma revolução palaciana. E assim é desencadeada uma guerra de poder, que faz a situação toda ficar ainda mais insuportável.

Começa a difícil caminhada a psicólogos, psiquiatras, terapeutas, órgãos educacionais e de aconselhamento matrimonial. A criança, até então absolutamente segura de si, sente-se questionada pelos pais e destronada. Os vários exames, testes e as adivinhações em torno de suas perturbações acabam com as últimas forças do seus sistema de segurança. Com isso, cria-se para a criança a possibilidade de aumentar seu exercício de poder, a fim de agir contra essa insegurança. É um círculo vicioso que, sem a ajuda necessária, nunca termina.

Reflexões sobre o diagnóstico diferencial

Este capítulo destina-se principalmente a especialistas. Detenho-me essencialmente ao DSM III (Diagnostisches und Statistisches Manual Psychischer Störungen) [*Manual de Diagnóstico e Estatística de Alterações Mentais*].

Devido à sua condição crônica – iniciada nos primeiros meses de vida – e por causa do amplo espectro em que acomete toda a personalidade, a tirania deve ser classificada como um *distúrbio da personalidade*. Não é *primariamente um distúrbio neurótico*, pois as características principais apresentadas no DSM III para um distúrbio neurótico – "o dano evidente, que atormenta a pessoa atingida e por ela é sentido como não aceitável e estranho" e "o controle da realidade, em geral intacto" – não se aplicam ao tirano.

O dano aconteceu ainda antes que a identidade do ego, que controla a realidade, pudesse desenvolver-se. É por essa razão que não é entendida como falha, mas antes como cerne da própria pessoa.

Enquanto as cognições dependerem mais da sensório-motricidade do que de uma assimilação intelectual consciente – inclusive a "etapa esquemática" –, e quanto mais distante estiver a consciência da identidade do ego, tanto mais é favorecido um distúrbio psicótico do desenvolvimento, como o autismo, a síndrome simbiótico-psicótica segundo Mahler, entre outros. É a consciência da identidade do ego que possibilita o controle da realidade e as cognições complexas, como o sentimento de tristeza devido à perda, à própria inferioridade etc. Só então um processo neurótico pode desenvolver-se.

A tirania move-se nesse desnível de riscos da psicotização, do bloqueio do desenvolvimento sensório-motor, do retardamento da identidade do ego e do raciocínio intencional, da fase do inconsciente até a fase do ego, em que a neurotização é uma ameaça como conseqüência da descompensação (ou perda do poder). A partir dessas reflexões, a neurose teria de ser vista como conseqüência da tirania e não o contrário.

Não apenas esse desnível dentro de uma organização da personalidade, mas também tendências inatas como temperamento, talento, sensibilidade e similares, bem como influências do ambiente, tornam o quadro de distúrbio da tirania transparente ou nos remetem, além das neuroses, a outros distúrbios como síndrome simbiótico-psicótica, distúrbio *borderline* da personalidade, distúrbio obsessivo da personalidade, entre outros.

O *distúrbio* borderline *da personalidade* distingue-se da tirania por meio de uma instabilidade de muitos comportamentos, mas também por uma instabilidade da auto-imagem que se pode manifestar em distúrbio de identidade mais profunda. O tirano, pelo contrário, mantém sua auto-imagem agradável mesmo quando perde o poder. Não ele, mas os outros foram maus e culpados. Seu distúrbio da identidade, que eventualmente pode se manifestar, é mais fácil de ser corrigido.

Diferentemente da *síndrome simbiótico-psicótica*, o tirano não sofre de um comportamento extremo de agarramento e repulsa. Raras vezes ou nunca sente-se impelido à união. Sua onipotência existente na fantasia não é desenfreada, sabe diferenciar muito bem coisas animadas de inanimadas e não depende exclusivamente da igualdade de formas. No caso da síndrome simbiótico-psicótica, trata-se mais de uma necessidade autocrática de dominar a mãe, ao passo que o tirano domina várias pessoas.

O tirano tem muito em comum com a *personalidade obsessiva*, por exemplo, a capacidade restrita de poder expressar sentimentos e a obstinada insistência na adaptação dos outros. As obsessões não se referem a uma perfeição das capacidades, à observância de convenções ou a outros objetos, mas tão-somente à tirania.

A tirania assemelha-se mais ao *narcisismo*, que se distingue por um excessivo sentimento de valor próprio, o sentimento de ser único, a fantasia do sucesso ilimitado e do poder, pela exigência de atenção, bem como pela fria indiferença em relação aos outros. O narcisista não precisa necessariamente dominar os outros. Basta-lhe ser admirado. Para tanto, talvez até se disponha a se adaptar.

Mesmo etiologicamente o narcisista parece diferenciar-se da tirania. Assim como Winnicott, Mitscherlich[36] é da opinião de que fantasias de onipotência de

---

36. Cf. M. Mitscherlich: "Die Bedeutung des Übergangsobjektes für die Entfaltung des Kindes", *in*: J. Bowlby: *Attachment and Loss*, Nova York, 1969.

natureza narcisista somente são possíveis quando os pais nem sempre realizaram os desejos, pois, em caso de realização quase perfeita dos impulsos, não surge pressão de experiência narcisista. Já a tirania ocorreu pelo fato de o bebê ter podido sentir a supremacia, uma vez que os pais ofereceram pouca resistência. A principal característica diferenciadora é a dependência viciosa da tirania.

Em todo caso, todos esses distúrbios citados não são facilmente distinguíveis entre si, pois um distúrbio anda lado a lado com outro em determinadas personalidades. O narcisista está representado em todos esses distúrbios. O surgimento simultâneo de vários distúrbios condiciona também a indicação de vários diagnósticos.

Todo cuidado é pouco no diagnóstico de hiperatividade, hipercinese, mutismo, recusa de alimento, entre outros, pois pode tratar-se aqui de sintomas secundários ou seqüelas de uma descompensação no âmbito da tirania.

Resumo das categorias de diagnósticos

Somente com base em resultados de pesquisa estatisticamente asseverados, os dados poderiam ser avaliados e ordenados com precisão. Solicito ao leitor considerar estas informações apenas como pequena fonte para demais pesquisas.

Critérios de diagnósticos

Defesa duradoura contra adaptação e exigências externas;

insistência obsessiva, intransigente e obstinada em autodeterminação e exercício de poder sobre outros;

sentimento de valor próprio exagerado e sensação de ser único;

falta de sensibilidade perante os outros, falta de consideração;

inquietação condicionada por constante asseveramento do poder, reação irritadiça a estímulos, baixa tolerância a frustrações;

não saber perder, reação extremamente agressiva ao fracasso por meio de raiva, imputação de culpa aos outros, agressão, ignorar os outros etc.;

Características de um processo patológico, das quais pelo menos duas devem estar presentes:

1. ausência da fase de estranhamento
2. ausência da fase de birra (ou "dura até hoje...")
3. retardamento da consciência de uma identidade do ego – perceptível também na linguagem pela ausência da forma do eu e pela sintaxe gramatical
4. nenhuma dependência de satisfações compensatórias orais tradicionais, com exceção da chupeta antes de dormir e de objetos compensatórios (segundo Winnicott).

Características secundárias

Falta de distanciamento; insistência obsessiva em regras determinadas pela própria criança (colecionar, ordenar, rituais); tirania restrita a determinados "territórios"; restrição visível de uma relação duradoura, responsável e calorosa com a família e com os amigos; a linguagem como meio de dominação do outro em forma de questionamentos, de obrigar o outro a dar determinadas respostas etc.; preferência por jogos e conteúdos mentais com esquemas previsíveis.

Deficiências

Deficiências podem ser motivo para provocar a tirania, porque os pais se adaptam à criança. Pode ocorrer também uma deficiência aparentemente mental, no sentido de bloqueio ou retrocesso, quando o aprendizado é recusado ou, pela mesma razão, acabar ocorrendo uma deficiência real.

Complicações

Em caso de privação do poder, existe a ameaça de crises, que podem desembocar em agressões, neuroses depressivas (também mutismo), psicoses reativas breves, neuroses obsessivas e similares.

Circunstância especialmente favorecedora

Condições da sociedade tecnocrata.

Outros fatores de predisposição

Possíveis perturbações da necessidade básica de ligação podem surgir imediatamente após o parto.

Muitas vezes, devido a uma necesssidade própria de recuperar o amor, os pais evitam conscientemente criar a criança com certa distância e tentam carregá-la e amamentá-la segundo velhas tradições. Isso acarreta, contudo, o risco de ocorrer a adaptação dos pais à criança, dentro das condições atuais de família pequena, de conforto técnico e oferta excessiva de consumo, e não em reciprocidade equilibrada, inclusive com a adaptação da criança aos pais.

A família pequena, o bem-estar, a mãe que não trabalha, a posição privilegiada da criança (filho único, primogênito, caçula, único filho homem, criança adotiva, criança deficiente, doente ou prejudicada em seus sentidos) favorecem a ocorrência da tirania.

Distribuição por sexo

Bem mais meninos que meninas são atingidos pela tirania. De acordo com uma orientação estatística aproximada, a relação é de 5:1.

Idade em que começa a tirania

De aproximadamente sete a 24 meses, isto é, na etapa de desenvolvimento entre os princípios de uma ação direcionada a uma meta, de acordo com esquemas previsíveis, e o atingimento da consciência de uma identidade do eu. Em crianças com deficiência mental, os princípios dessa etapa sofrem retardamento, e a consciência de uma identidade do eu muitas vezes não se desenvolve de modo nenhum.

O que fazer?

Recomendações para uma educação infantil preventiva

Partamos da seguinte reflexão: as condições de vida no sistema de sociedade industrial avançada, nas quais o homem de hoje nasce, e o espírito de época com o qual terá de se entender desafiam sua resistência com exigências cada vez maiores. Na verdade, o homem deveria tornar-se internamente mais seguro e mais firme, a fim de não se destruir. Essa exigência parece-nos indispensável. Tragicamente, porém, transforma-se hoje no contrário: nunca o homem foi tão inseguro e tão ignorante em relação a valores como bem e mal. Como essa insegurança se espelha mais claramente na questão do desenvolvimento das crianças (o chamado "cuidado das crianças" ou "educação"), é por aí que devemos começar. Especialmente as condições da criação, que valem para nossa vida na Terra, devem ser tornadas conscientes. Para que os conceitos educacionais sejam realizáveis, os pais devem apresentar-se ao filho como pais e permitir à criança a sua infantilidade. Fazem parte disso o conhecimento e o seguimento das ordenações na família. Em primeiro lugar, deve-se cuidar para que a criança respeite seus pais, de modo que o exemplo destes torne-se a base das condições de vida da criança. Apenas nesse fundamento ela poderá buscar a realização de seu próprio ego.

Sem dúvida, a disposição à adaptação e à imposição fazem parte desse enraizamento. Uma não acontece sem a outra. Esses poderosos dados biológicos são premissa essencial para a competência de poder reagir modificando as condições de vida, que sofreram, num primeiro momento, uma adaptação. Todavia, parece haver uma ameaça contrária: distanciamo-nos das mensagens instintivas ao elevar as condições do círculo cultural tecnocrata acima de nossos sentimentos. Dessa forma, estamos abalando as raízes do destino humano. Não apenas as árvores são destruídas. O ser humano também sofre com a "poluição" do ambiente psíquico.

O retorno a formas de educação infantil ligadas ao instinto é, portanto, legítimo. Seria um erro crasso deixar a linha branda novamente por uma forma de educação à distância e sem amor. Mas não podemos transpor, sem alguma dificuldade, as velhas tradições de carregar a criança e sua colocação no estilo de vida antigo para as condições atuais de família pequena na sociedade tecnocrata. Da mesma forma, não podemos mais confiar em nosso sentimento instintivo, enterrado há gerações. Devemos fazer uso de outros auxílios de orientação, a fim de prevenir os efeitos nocivos sobre a saúde psíquica da criança. Podemos utilizar cada vez mais meios abundantes na sociedade tecnocrata: a pesquisa científica da higiene psíquica e sua transmissão de informações aos pais.

É necessário que os pais que esperam um filho, ou os estudantes das classes adiantadas, bem como os de medicina, psicologia e pedagogia, as futuras parteiras e enfermeiras em puericultura sejam esclarecidos sobre as necessidades de personalidade de um bebê. Deve ser considerado como triste testemunho de nossa aridez de sentimentos o fato de esses futuros profissionais terem muito mais informação sobre a utilização e a aplicação da técnica do que sobre os sentimentos de uma criança, que futuramente lhes será entregue junto com sua psique vulnerável e que será influenciada por eles.

Faz parte dos conteúdos do esclarecimento a informação sobre a transformação das necessidades básicas no decorrer das etapas de desenvolvimento. A princípio, deve-se cuidar da *confiança no ambiente*, que representa o fundamento para toda a formação da personalidade. Já durante a gravidez, deve-se dialogar com a criança, de modo que ela sinta e ouça a mãe. O período de vida mais sensível é o *nascimento e o período imediatamente posterior.* Todas as formas de nascimento em que o filho não é separado da mãe após o parto, além do *rooming-in* 24 horas por dia, isto é, também de noite, são certas, pois asseguram ao bebê a continuidade das percepções previsíveis. Apenas dessa maneira o bebê consegue experimentar a vibração simbiótica com a mãe, o diálogo afável com ela, através do qual se sente compreendido. *Nos primeiros seis meses de vida, a criança nunca é mimada demais.* Suas necessidades de consolo e alimento devem ser satisfeitas imediatamente. A mãe deve amamentar ou dar a mamadeira quando a criança quer e não de acordo com determinadas regras temporais elaboradas por estranhos. A criança não é capaz de assimilar essas regras, pois ainda não dispõe de uma noção temporal. Da mesma forma, o bebê deve sentir a constante proximidade da mãe também à noite. O isolamento do bebê em seu quartinho está ligado a riscos. Com toda certeza é confrontado com medos noturnos. O tempo que a mãe gasta para acordar e para ir do seu quarto ao do bebê parece uma eternidade para a criança, que sente muito medo. Nem toda criança é suficientemente resistente para poder arcar com tais experiências sem conseqüências danosas. Além disso, mais tarde a criança pode conseguir tiranizar a mãe do seu quarto. O mais natural é que o bebê durma ou na cama dos pais – exatamente no ninho – ou bem próximo deles, no berço ou na rede.

Outra fase especialmente sensível ocorre por volta do *sétimo mês* (em deficientes, o princípio dessa etapa muitas vezes dura anos). Nela desenvolvem-se os primeiros sinais do raciocínio previsível e de ação dirigida. Tanto quanto antes, a necessidade de uma proximidade consoladora deveria ser imediatamente satisfeita. Começa a ficar problemático quando a criança quer decidir sozinha. A recomendação de que a partir desta idade *deve-se*, na maioria dos casos, *realizar imediatamente, mas não sempre, os desejos da criança*, caso ela tente influenciar a mãe, provoca insegurança na maioria dos pais. Na prática, porém, nada impede que os desejos da criança sejam realizados e que ela seja contentada naquele momento. Apenas o pensamento no futuro dá o alarme. Apenas a prevenção consciente de uma tirania motiva reações muito consideradas em relação à criança. Infelizmente não podemos nos permitir agir tão espontaneamente como os pais de culturas primitivas que, por necessidade, só podiam reagir de uma determinada maneira – mas não exclusivamente determinada pelo bebê.

Em aconselhamentos relativos aos problemas do dia-a-dia, que todavia podem transformar-se em problemas grandes, como: "O que devo fazer quando a criança me chama cinco, dez vezes por noite?... Quando não come outra coisa a não ser batata frita?... Quando insiste em descer do colo?... Quando não deixa de modo algum que a levem pela mão?", *a comparação com o comportamento dos pais de círculos culturais ainda mais primitivos* é para mim *uma das orientações mais seguras.*

Que liberdades devem ser concedidas, nesse caso, à criança de um a dois anos? Qualquer mãe desses círculos culturais irá apertá-la contra seu corpo na cama, ou consolá-la ninando-a, caso o berço ou a rede lhe estejam próximos. A lembrança da vida conhecida antes do nascimento e a certeza da constante união devem significar mais para a criança do que a luz acesa, o peito ou muita conversa. Seguindo o exemplo, recomendo levar a criança para a cama. De preferência, assim que anoitecer. Se a criança ainda não tem condições de passar a noite sem ter medo, não se deve deixar que ela tome as decisões sobre as medidas de segurança. Estas devem ser colocadas pelos pais, e a criança deve confiar nessa autoridade primária, que oferece segurança.

Uma mãe coreana ou indiana não poderia oferecer outro alimento ao seu filho a não ser arroz. Portanto, recomendo deixar a criança sentir fome para poder apreciar a comida em vez de substituir seu alimento por outro que prefira. Nenhuma criança saudável irá morrer de fome.

Se penso nos pais na Groenlândia, que devem limitar a vontade de locomoção dos filhos, segurando-os firmemente junto ao corpo, pois o solo congelado seria frio demais para eles, ou em pais peruanos, que devem proteger a criança do chão sujo, dos insetos, dos animais bravos e similares, carregando-a nas costas, é mais fácil recomendar que não concedam à criança total liberdade de movimentos. Ela deve sentir *a limitação do ninho protegido, o apoio e a união em adaptação mútua* com os pais e os irmãos, mesmo que seja desagradável. Depois disso – especialmente quando a criança sente-se apoiada – é que se percebe o quanto os castigos corporais são desnecessários e inadequados.

Com quem mais uma criança pode aprender a lidar com resistências e a suportar frustrações se não com os pais? É correto quando estes não lhe proporcionam o melhor conforto em excesso. Deve-se pensar que o conforto pode acabar um dia e que em sua vida futura deverá defrontar-se com muita frustração e com obstáculos.

Por outro lado, deve-se incentivar a força empreendedora e de imposição da criança, estimulando-a a ocupar-se de maneira variada com objetos e atividades isoladas. Nesse sentido, não é a quantidade que conta, mas a qualidade das descobertas. A variedade de experiências contida num cesto com pregadores de roupa conta, por exemplo, muito mais que uma coleção de bichos de pelúcia alinhados em fila, que não estimulam nenhuma brincadeira.

A participação na atividade dos maiores e na imitação destes tem grande significado para a vontade da criança de crescer e desprender-se, sem perder o respeito pelos pais.

A fim de reunir forças para novos empreendimentos, de encontrar a passagem do *eu para o você* e de desenvolver *a própria identidade, o constante retorno ao ninho*, ou seja, a "secure base", tem de estar garantido. Nessa fase, a criança deve buscar não apenas refúgio e consolo, mas também estímulo para seus novos conflitos no mundo, para suas perdas e conquistas. Também nessa fase pode expressar todas as suas decepções, os seus medos e a sua ira, pode chorar à vontade e desabafar sua obstinação. Essas expressões do sentimento não devem, de forma alguma, ser impedidas educacionalmente, muito menos por meio de punição. Apenas a vivência desses sentimentos "negativos" abre o caminho para uma experiência consciente do amor.

A *fase da birra* é de grande importância para a conscientização dos sentimentos contrários e das manifestações afetivas, bem como dos limites pessoais e dos outros. "Crianças que nunca foram teimosas não se desenvolveram normalmente."[37] Por isso, deve-se dar ao tratamento da birra uma atenção especial. Seria prejudicial para a consciência despertada do eu deter a "ira santa" sempre por meio de diversão ou consolo carinhoso, como se se tratasse de um bebê. Essa enorme disposição da criança de dois a três anos para experimentar a resistência, para assim sentir os limites e a sua própria força, mas também a de seu oposto, quer dizer, a relação entre EU e VOCÊ, não pode

37. Th. Hellbrügge e G. Döring: *Die ersten Lebensjahre*, Munique, 1982, p. 248.

ser punida. A criança deve ter a certeza de poder sentir sua resistência. Com isso, suas forças de resistência dirigem-se ora contra objetos, ora contra pessoas. Quando se trata do conflito com objetos, a criança deve lidar sozinha com sua ira. Com base nessas experiências, deve ficar gravado em sua mente que é capaz de suportar uma crise com suas próprias forças e de lidar sozinha com uma frustração. Um exemplo: uma criança está com muita raiva de uma porta de correr que ela não consegue abrir sozinha. Somente quando sua ira aumenta a ponto de ela se descontrolar (o que se manifesta, por exemplo, em bater a cabeça contra a porta, como forma de auto-agressão), é que se deve pegá-la nos braços e acalmá-la. Mas quando sua ira se dirige contra uma pessoa, a criança deveria receber "carta branca para a confrontação", para expressar, resolver e reconciliar o conflito da relação. Desse modo, a criança pode aprender que não deve reprimir, mas dirigir seus sentimentos e que só pode permitir-se a agressividade em estado cultivado. Crianças em círculos culturais tecnicamente menos civilizados passam por essa experiência ainda quando são carregadas nas costas dos pais. Sendo *segurada no "canguru"* e apertada ao corpo da pessoa de referência, a criança é impedida de utilizar seus braços e pernas para o ataque. Só a boca pode ser utilizada para expressar a agressão. Da mesma forma, não lhe é permitido abandonar seu oponente numa crise de relações ainda não resolvida. (Essa disposição para a fuga é comum a todos os seres vivos, inclusive a lobos, tubarões e centopéias, enquanto no âmbito da ambivalência afetiva o ódio for maior que a disposição para a aproximação. Apenas a espécie dos que são carregados, representada pelo homem, aprende do modo já descrito a forma suprema de amor, isto é, o amor pelo inimigo.) Com o confronto extremo de trocar "amor e ódio", a criança aprende nas costas dos pais a transformar o ódio em amor incondicional. Sendo assim, ela assimila uma disposição para enfrentar os conflitos interpessoais e para transformá-los em paz e amor apenas com a boca, a princípio berrando, chorando e xingando, mais tarde, porém, de maneira cada vez mais madura, isto é, falando, discutindo, argumentando e concordando.

Assim que Jens, de quase dois anos, começou novamente a puxar a orelha do pai e a bater em sua barriga, apesar da proibição, orientei os pais do menino a reagir de maneira bastante espontânea ao segurá-lo, da mesma forma como já se fazia há milhões de anos na história da humanidade. "Não deixe que seu filho bata no senhor", digo ao pai. "Pegue-o pelos braços, diga-lhe um não decisivo e que está doendo. Ouse manifestar também o seu aborrecimento com a situação. De forma bem clara! A criança deve perceber que sentimentos o senhor tem, para poder se colocar no seu lugar. Mas não deixe de dar-lhe a chance de manifestar sua raiva com determinação." O pai pegou Jens nos braços como um bebê: deitou suas pernas sobre um dos braços e sua cabeça sobre o outro. Colocou as mãos da criança no meio, entre o tórax de Jens e o seu, ficaram olhando um para o outro. Imediatamente, Jens começou a lutar contra o pai com toda a força, gritando terrivelmente. Mas o pai também não ficou quieto. Segurou o rosto de Jens e disse-lhe bem alto: "Olhe para mim! Não quero que você bata em mim. Não! Isso você não pode fazer nunca. Sou seu papai e você é meu filho. Grite toda a sua raiva, bem alto! Bem alto, o mais alto que você puder." Confirmei ao pai que não é bom insistir no olhar, mas sentir a discussão afetiva com a totalidade psicofísica. A criança pode facilmente recusar o olhar (no fundo é uma fuga do conflito), e o pai seria o perdedor. O olhar passa a ter uma função importante somente quando o processo encaminha-se para a reconciliação. Até então, é muito mais eficaz sacudir levemente a cabeça da criança, ou segurá-la de forma que não precise ver nada, mas possa testar pela sensação, pela audição e pelo olfato, principalmente usando suas forças de resistência, se pode confiar cegamente nessa "simulação de ninho". Jens demorou bastante em seu teste. Quando finalmente se acalmou e pareceu relaxado, aconselhei o pai a não deixar Jens adormecer, mas a verificar, com uma brincadeira carinhosa, se a raiva realmente tinha sido vencida. Somente então é possível transformá-la em amor. Mas ainda não era tempo. Jens reagiu com um novo ataque de gritos à frase que, em outras ocasiões, agradava-o bastante: "Um ratinho entra em minha casinha..." O pai aceitou: "Mas que raiva grande que você tem! Grite bastante, vou segurá-lo até que você se sinta melhor." Jens recebeu a segunda tentativa de reconciliação com brilho nos olhos. Ria feliz e quis prolongar bastante a brincadeira carinhosa com o pai. Os pais mal acreditavam. Nunca haviam visto o seu filho tão alegre! "Como um arco-íris após a tempestade", disse o pai. E tinha razão. O processo de segurar pode realmente ser comparado a duas nuvens carregadas de eletricidade, pairando lado a lado em tensão. Somente quando se chocam uma contra a outra, a tensão se solta e o ar é purificado.

A história de Jens e de seu pai não significa que mães não disponham da mesma competência para segurar. Pelo contrário: a mãe é na vida da criança a primeira pessoa de referência que a segurou no mais verdadeiro sentido da palavra, dentro e em cima do ventre. Durante toda a sua vida, o homem sente falta desse estado primitivo quando se encontra numa grande crise. No entanto, progressivamente, e sobretudo com os filhos homens, o apoio experimentado de forma convincente junto ao pai recebe uma importância especial. As experiências de ser segurado servem, contudo, para qualquer idade, quando a crise interna ou a crise de relações for tão grande que não pode ser manifestada em palavras. Nessas situações, o indivíduo tem de expressar sua dor gritando e chorando nos braços de seu próximo, em vez de anestesiar-se com a tela da televisão ou com a mamadeira.

A forma de segurar a criança deveria variar de acordo com o tamanho do corpo. Sendo assim, é vantajoso para uma criança, a partir do terceiro ano de vida, ficar sentada de pernas abertas no colo da mãe. A mãe deve sentar-se no chão, com as costas apoiadas na parede, de modo a poder segurar o filho por um longo período. Nessa posição, a criança pode empurrar a sola dos pés contra o chão, sentindo assim sua força de resistência. Quanto maior a criança, mais vantajoso é ficar deitado. Basicamente, porém, todo o processo – da raiva à renovação do amor – é sempre compreendido e, a partir dele, a criança pode experimentar a supremacia reconfortante dos pais. O ato de segurar não pode ser equiparado ao ato de educar. O ato de segurar produz uma relação emocional entre *mãe e filho e pai e filho*, condição prévia para uma base resistente da educação.

"Eu seguro você para você ser livre" é o sentido profundo desse ato. Não conheço forma melhor para uma criança expressar seus sentimentos negativos contra seus pais sem ser castigada por causa disso ou (e) ter de desprezá-los. A experiência prática de anos com o ato de segurar mostra que as crianças "seguradas" são bem mais sociáveis e têm mais força de vontade do que as outras. E não é de admirar, já que essas crianças aprenderam a lidar com oposições. Além disso, tornaram-se capazes de enfrentar conflitos e sabem como renovar o amor por força própria.

A fim de suportar a gama de tensões, que vai da total dependência do bebê à *liberdade do eu que se desprende*, a criança deve aprender bem mais do que apenas lidar com conflitos de relações. Em etapas, os pais também devem conceder a seu filho uma liberdade de decisão, adequada à sua resistência de momento. Se junto com a liberdade de decisão são levadas em conta pequenas obrigações e oportunidades de assumir responsabilidades, a criança é levada a considerar não apenas suas próprias necessidades, mas também as dos outros. Se em todas as circunstâncias a criança sente-se amada sem restrições, a educação posterior pode seguir sem dificuldades. Resumindo, os fundamentos principais podem ser expressos da seguinte maneira:

Deve-se sempre observar para que a adaptação entre pais e filhos não ocorra de forma *unilateral*, mas *recíproca*, e para que a adaptação e a ligação na criança possam transformar-se gradativamente em seu desprendimento e em sua imposição. É importante enxergar o desenvolvimento da criança não como um sentimento de aqui e agora, mas como um processo a longo prazo, que se estende por gerações. O que Joãozinho não aprendeu, João não aprende nunca mais. Que tipo de Joãozinho eu mesma fui? Que experiências-chave eu fiz que transponho para meu filho? E o que será do meu Joãozinho, se continuar com as opiniões e atitudes adquiridas com a educação que lhe dei?

Recomendações para a terapia

Dificilmente consegue-se tratar o vício com métodos psicoterapêuticos e educacionais tradicionais. Sem dúvida, é preciso almejar uma aproximação educacional conseqüente do conhecimento real das próprias forças e fraquezas, das competências, das obrigações e do respeito pelas necessidades alheias, bem como por regras gerais da convivência humana. A prática mostra que o tirano parece ser "imune" a tais intervenções. Essa "imunidade" é, basicamente, o diagnóstico decisivo da dependência viciosa do exercício do poder, de um lado, e, de outro, da má-criação normal. Se a uma criança malcriada são finalmente oferecidas, após longo tempo, regras confiáveis, acalma-se logo e não causa mais problemas. Já o tirano fica ainda mais inquieto. Para ele, há a ameaça de *privação*, acompanhada de todos os efeitos colaterais cruéis. O atingido defende-se contra isso, insurgindo-se com agressão reforçada contra a adaptação às regras que o colocam em perigo, caindo em depressão ou apresentando queixas psicossomáticas (problemas respiratórios, prisão de ventre, dores de cabeça etc.). O tirano somente consegue ser curado quando desiste de seu exercício de poder onipotente, o que se manifestaria sob forma de disposição à adaptação. Portanto, deve confrontar-se com as regras externas impostas.

A partir dessa perspectiva, falham em crianças tiranas as psicoterapias baseadas em "pedagogia centrada na criança" (a educação antiautoritária de Neill, as opiniões de Alice Miller e a antipedagogia de Braunmühl), como a ludoterapia não-diretiva segundo Axline, bastante eficaz em distúrbios que apresentam, paralelamente, adaptação em excesso e inibição.

O processo terapêutico deveria se dar *nas raízes do distúrbio.* Se tentarmos encontrar as raízes do surgimento de uma tirania, temos como resultado a seguinte seqüência:

Por trás do exercício obsessivo do poder encontra-se o *medo de perdê-lo,* em que é latente o medo da perda da segurança e da proteção. Trata-se, em resumo, de um medo da perda do amor. A experiência básica da criança, que deu início ao processo doentio, foi a constatação do fato de ser *mais forte que os pais,* da necessidade de sê-lo, e de não poder mais sentir-se seguro com eles.

Mesmo quando a criança não se tornou tirana, mas apenas malcriada, paga pela fraqueza dos pais que não lhe oferecem apoio enquanto estiver inquieta. Alguns pais permitiram essa fraqueza por desconhecimento e puderam superá-la sem qualquer acompanhamento terapêutico, tão logo se inteiraram da ajuda correta para seu filho. Mas aqueles pais que não ousam, por qualquer que seja a razão, defrontar-se com seu filho, que têm medo de segurar a criança, que temem matá-la numa confrontação, que não conseguem entrar num acordo quanto a um procedimento educacional conjunto etc., necessitam sem falta de uma terapia.

A princípio, uma breve consideração sobre o sistema familiar

As experiências na terapia com "pequenos tiranos", que tanto eu quanto os vários terapeutas do abraço a mim ligados pudemos fazer, ensinaram-nos a colocar a questão: *Que complicação no sistema familiar enfraqueceu tanto a mãe ou o pai, ou ainda outro ancestral*, a ponto de a criança, com sua força excessiva, ter de fazer a compensação? Embora os distúrbios sistêmicos nem sempre sejam causais, o que ocorre com mais freqüência com o transtorno que atualmente prevalece no cuidado da criança pequena, vale a pena para o terapeuta adquirir uma visão geral inicial segundo os métodos da terapia familiar sistêmica (B. Hellinger, V. Satir, H. Stierlin, G. Weber etc.). Desse modo, poderá constatar *quem de fato está em conflito com quem* e *de que tipo de conflito* se trata. Por meio dessa constatação, a terapia do abraço poderá ser aplicada de forma mais diferenciada ou possivelmente ser reconhecida como inadequada, possibilitando a escolha de outras terapias. Um exemplo disso foi Maxi. Após ter se reconhecido, devido a um levantamento da família de origem, que a mãe de Maxi identifica-o com o próprio pai, que dela abusara quando criança, a princípio parece mais adequada uma psicoterapia para a mãe, a fim de que ela possa livrar-se de seu trauma incestuoso e colocar-se como mãe educadora. Nesse caso, a terapia do abraço era evidentemente contra-indicada.

Às vezes, basta também apresentar aos atingidos a complicação familiar, de modo que as relações possam ser observadas de maneira diferente da habitual.

A reconciliação com a "ovelha negra" é uma conseqüência freqüente – e tanto pais quanto filhos encontram-se, em seguida, em condições de trilhar o caminho iluminado pela nova luz, sem qualquer outra intervenção terapêutica. Assim foi no caso de Kevin. Os pais adotivos emocionaram-se com a fidelidade da criança para com sua mãe biológica. Compreenderam a importância desse respeito para Kevin e puderam modificar sua atitude imediatamente. O resultado foi que, em festas familiares, Kevin comportou-se discretamente, sem ter de ser recompensado por isso. No entanto, gostava de ouvir: "Sua mãe iria ficar muito contente em ver como está bonita sua festa de aniversário. Você pode contar para ela e mostrar-lhe as fotos. Nós o ajudaremos a preservar sua mãe em seu coração." O conflito que levava a criança a um comportamento tirano estava, portanto, resolvido. Kevin não precisa mais vingar sua mãe biológica. Sendo assim, uma terapia do abraço relacionada ao domínio do conflito não é necessária. (Esta seria adequada em outro sentido: para Kevin seria útil poder chorar para aliviar a dor do rompimento da relação com a mãe biológica, a fim de poder estabelecer a nova relação.)

Em muitos outros casos, é favorável iniciar a terapia do abraço logo após a elaboração do sistema familiar, a fim de que a dor sentida possa ser expressa e a reconciliação fomentada. O processo contrário – isto é, primeiro a terapia do abraço e depois a elaboração do sistema familiar – é complicado, mas pode ser de grande valia para o diagnóstico. Enquanto o atingido estiver no lugar errado dentro de sua família, não consegue sentir a si mesmo no contato extremamente íntimo e confrontador, mas sente por aquele que representa inconscientemente. Esse é o momento em que o terapeuta tem a oportunidade de reconhecer as complicações a que o paciente está preso. Assim também ocorreu com Kevin, antes de sua sessão sistêmica: em todas as tentativas de terapia do abraço, recolheu-se em silêncio para dentro de si mesmo, desviando o olhar de seus pais adotivos. Silenciava pela sua mãe biológica que não podia se manifestar. Lucas, o exterminador, ria cinicamente de sua mãe que o segurava nos braços. Uma atitude compreensível, pois o fazia por seu pai, por ela escarnecido.

A seguir, um exemplo detalhado, apresentado no caso de Hubert, que evidencia a terapia familiar sistêmica e a subseqüente terapia do abraço:

A família toda, isto é, o pai, a mãe, Martina, de 14 anos, e Hubert, de nove, participa de um grupo de terapia. Todos os participantes estão sentados em círculo. A instrução da terapeuta é: "Cada qual constitui sua família, mas escolhe outras pessoas para isso!" Hubert começa e coloca os representantes de sua família no meio do círculo. "Agora, junte ou afaste suas pessoas da forma como vocês estão ligados entre si! Quem está mais próximo de quem? Quem está mais afastado?", diz a instrução para Hubert. E a terapeuta exorta os colocados a tentarem compreender como a pessoa que representam se sente, transformar-se em seu porta-voz, desistindo de pensamentos e juízos. Portanto, nada de: "É, também passei por isso na minha infância...", mas simplesmente ficar em pé e sentir. (Se não houver disponibilidade de um grupo, a terapeuta pode utilizar também figuras de madeira, sapatos, pedras etc. A desvantagem nesse caso é que os objetos nada informarão sobre o sentimento do atingido.) Hubert dispõe sua família como segue:

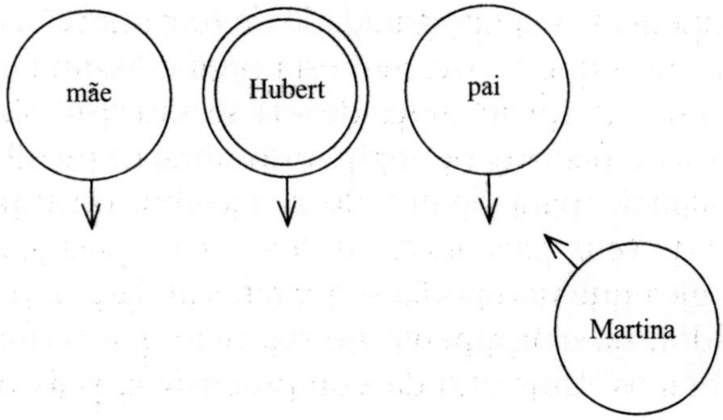

Martina é solicitada a modificar a disposição de acordo com sua maneira de sentir. Ela distancia-se ainda mais:

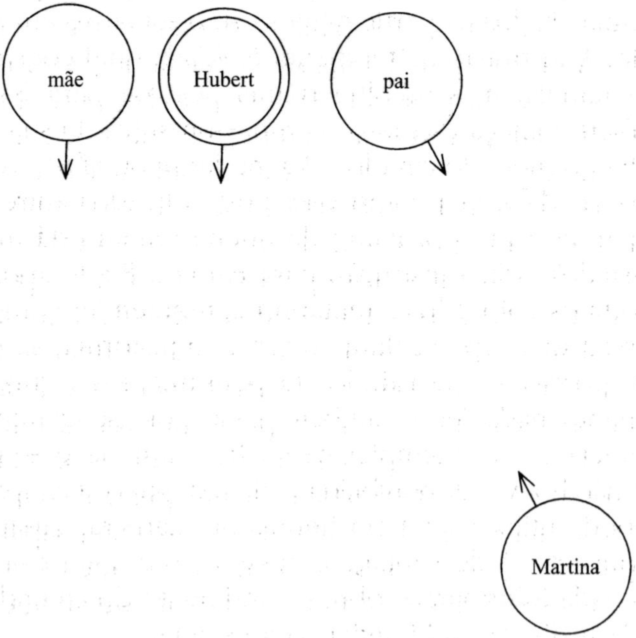

A mãe confirma, "sim, é assim", e o pai acha que aproximaria Martina mais para perto de si. Em seguida, pergunta-se a cada um dos componentes do grupo o que sentem em seu lugar. A representante da mãe diz: "Sinto apenas o menino perto de mim, não me sinto bem, aliás, sou bastante só." O representante de Hubert diz: "É muito apertado aqui, fico sem fôlego, tenho vontade de ficar batendo em minha volta para conseguir um pouco de ar!" O representante do pai manifesta-se: "Minhas pernas estão totalmente fracas. Tenho que sair daqui, senão caio." E a representante de Martina empalidece, seus olhos enchem-se de lágrimas: "Uma grande tristeza apodera-se de mim. Quero dar meia-volta e ir embora." O terapeuta tenta aproximar "o pai" dela, mas "Martina" diz: "Não, tenho muito calor, não dá", e "o pai" também prefere voltar. A complicação é esclarecida: o casamento corre sério perigo. Hubert está entre os pais, ele os separa, mas na ver-

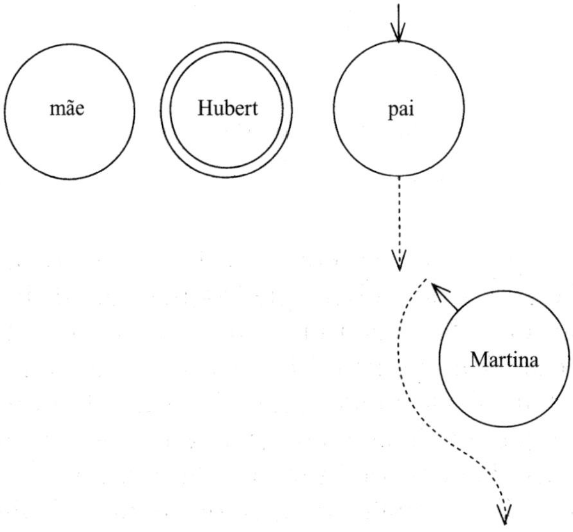

dade não os sente, ele mesmo tem de batalhar por sua sobrevivência.

O pai quer proteger a filha e dar-lhe o amor da mãe, mas Martina não consegue aceitar isso. O perigo do incesto é grande demais. Ela perde toda sua família e vai ao encontro de uma grave depressão. Sendo assim, a terapeuta procura a solução. Quando o "pai" recebe seu lugar à direita de sua mulher, ambos sentem-se muito bem. "Hubert" sente grande alívio. Mas sente-se ainda melhor quando "Martina" está entre ele e a mãe, quando tem seu pai por perto e quando sabe da presença da irmã. Também "Martina" sente-se repentinamente bem: recebeu o lugar que lhe cabe como primogênita.

Eis a ilustração da solução:

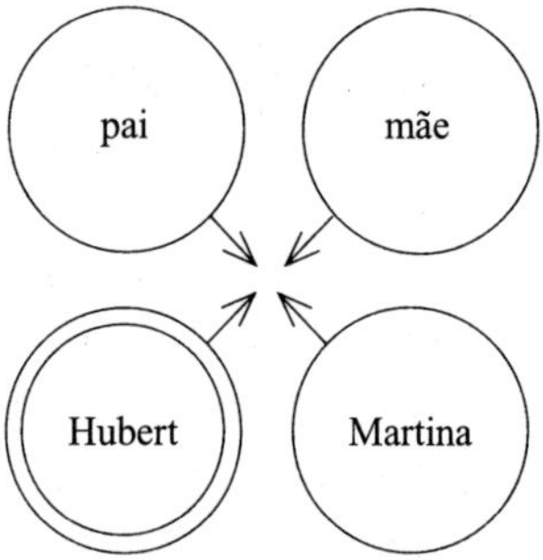

Em seguida, a terapeuta solicita a todos os membros da família de Hubert que troquem de lugar com os representantes. Cada um sente por si: "Sim, assim seria bom." Surge uma esperança. E a terapeuta confirma: "Sim, desse modo a família estaria em ordem. Deixem que esta imagem se grave em seus corações."

(Se as crianças forem muito pequenas para organizar sozinhas a família, ou quando se tratar de disposições complicadas de famílias de origem ou de revelações de graves infortúnios, como abuso ou assassinato, trabalha-se apenas com os adultos.)

A terapia do abraço

Após ter-se constatado entre quais membros da família existem conflitos, estes podem ser trabalhados na terapia do abraço, pois a crise de relações é, dessa forma, expressa, resolvida e reconciliada por ambos os lados.

Em todos os casos, o procedimento deverá ser *cronológico*. A primazia sempre é dos conflitos com a família de origem. Um exemplo: se uma mãe ou um pai ainda tem sentimentos mal assimilados em relação a sua própria mãe ou seu próprio pai, tendendo, portanto, a um comportamento infantil e transigente, tenta-se convidar *essa avó ou esse avô a participarem da terapia*. Evidentemente, nesse caso, é importante que haja um esclarecimento prévio sobre o sentido e a metodologia da terapia do abraço. O terapeuta garante aos idosos, geralmente inexperientes quanto à psicoterapia, que poderão confiar na manutenção da ética. "Ninguém sai da sala sem que haja respeito mútuo e sem que o amor volte a fluir." A princípio, o filho (agora já adulto) é abraçado por seus pais, e não o contrário. Infelizmente, são raras as vezes em que se consegue levar os avós para a terapia. Os que participam merecem mais respeito ainda.

Talvez seja necessário abraçar primeiro os pais, antes de a própria criança ser abraçada. Faz bem à criança participar dessas sessões. Ela terá a chance de perceber que não é responsável pelo problema de seus pais, não precisando, portanto, representar nenhum dos dois. Apenas após sua reconciliação os pais têm condições de apresentar-se para seu filho como pais. Da mesma forma procedeu-se no caso da família de Hubert. Os avós não podiam mais ser convidados porque não viviam mais. Mas os pais passaram por uma sessão dramática, que provavelmente não teriam suportado sem o apoio terapêutico. Há dois anos não tinham mais contato íntimo. Cada um torturava-se quieto em seu canto, sofrendo com o abandono. Houve uma reação comovente quando os pais se abraçaram. As lágrimas do marido correram pelo rosto da mãe, ela via o sofrimento dele, e ele ouvia como ela sentia sua falta o tempo todo... Hubert e Martina estavam sentados, olhando. Sem medo, porém com muita expectativa. Quando seus pais conseguiram abraçar-se carinhosamente, foram tomados de grande alegria.

A criança atingida – e eventualmente também os seus irmãos – vem por último. Quanto mais idade tiver a criança, tanto mais deverá receber explicações sobre o procedimento terapêutico, para que possa livremente decidir a favor ou contra. A criança de mais idade deve, aliás, estar disposta a submeter-se também a um determinado autocontrole durante o confronto, pois precisa saber que pode expressar sua raiva apenas com palavras, não com tapas e pontapés. "Fisicamente você com certeza já é mais forte que sua mãe. Mas ela é superior a você devido à sua experiência de vida. Mas aqui não se trata de medir forças, e sim de expressar seus sentimentos. A raiva e a tristeza têm de ser liberadas, para que o amor de vocês possa começar de novo", esse é o teor aproximado da instrução a ser dada. Martina foi abraçada por sua mãe, para que pudesse reencontrá-la como sua amada filha primogênita. Ao mesmo tempo, Hubert foi abraçado pelo pai, para poder certificar-se de sua força protetora, digna de imitação, e sentir seu apoio firme, porém suave. Na sessão seguinte, Hubert foi abraçado pela mãe. Devido ao perigo de incesto, prescindiu-se da terapia do abraço entre o pai e Martina.

Indicações importantes para o terapeuta acompanhante

- A princípio, são os pais que devem abraçar, não o próprio terapeuta. Este instrui os pais e os assiste.
- O processo durante a terapia do abraço ocorre exatamente como no modo de segurar a criança como forma de vida, descrito na página 200. Todavia, por dar-se num distúrbio fortalecido, fora de uma relação sadia, apenas com estado patológico agudo, necessita de instrução e acompanhamento terapêutico competente. De preferência, deve-se procurar um terapeuta reconhecido pela "Gesellschaft zur Förderung des Festhaltens als Lebensform und Therapie e.V." (*Sociedade para o fomento do abraço como forma de vida e terapia* – associação registrada)*. O terapeuta também está presente durante a disposição sistêmica da família ou a conduz e acompanha todo o processo das diversas sessões de abraço. Além disso, acompanha a família até que ela esteja novamente em ordem ou organiza novas terapias, caso estas sejam necessárias.

---

* Endereço, vide p. 231.

• Se uma criança já está entregue à sua tirania, o fator patológico está presente em sua dependência viciosa do poder e na privação com todos os seus dramáticos sintomas concomitantes (suor, gritos, dor psíquica etc.), aos quais a criança está exposta enquanto é segurada. Além disso, pelo menos um dos pais encontra-se preso a uma ambivalência afetiva constante, sendo, portanto, impedido de enviar mensagens claras a seu filho. O terapeuta assume a tarefa de exigir a privação da criança e de suportá-la com ela, bem como de dissolver o bloqueio afetivo nos pais. Estará lidando com fortes reações de defesa por parte dos atingidos. Geralmente manifestam-se sob a forma de fortes tendências à fuga por parte da criança, mas também por parte dos pais. O terapeuta deverá estar constantemente atento para verificar se cada um ainda está agindo por si ou se um deles, assumindo inconscientemente uma tarefa sistêmica, está agindo pelo outro (assim, por exemplo, muitas vezes o filho manifesta as comoções não expressas de seu pai). Quanto mais souber conduzir os atingidos a uma expressão inequívoca dos sentimentos e quanto mais livremente estes ousarem fazê-lo, tanto mais rapidamente o processo evoluirá do choque confrontativo ao fluir do amor (durante a primeira sessão, que geralmente é a mais longa, isso poderá demorar de uma a duas horas). Se a ambivalência afetiva persistir, o processo torna-se insuportável e longo demais. Isso não é aconselhável.

• O acompanhamento terapêutico exige flexibilidade. Os processos decorrem de forma bastante variada, já que os envolvidos e suas constelações familiares e destinos também são variados. Em todas as crianças descritas neste livro, exceto Maxi que, devido ao grave distúrbio psíquico de sua mãe, representa uma exceção, a terapia de abraço provocou uma mudança fundamental, embora, em cada caso, esse abraço tenha se dado diferentemente. Para *Luisa*, em conseqüência de suas tendências autistas e autocráticas, essa terapia foi necessária durante dois anos, quase diariamente. O menino adotado de 12 anos, *Sebastian*, precisou de um único abraço como experiência-chave. Durante a conversa de esclarecimento sobre o ato de abraçar, contei a Sebastian que certa vez meu marido me abraçou quando fiquei insuportavelmente nervosa e deixei de gostar de mim e dos outros. Ele achou o máximo e pediu imediatamente à mãe que também o abraçasse. Após cinco minutos, não quis mais a proximidade com a mãe. Mas quando a mãe anunciou que continuaria, teve início uma batalha de duas horas de duração. Defendia-se com todas as forças, acusava a mãe de ferir os direitos humanos, queria saber onde ficava o tribunal mais próximo e, por fim, culpou a mãe de amar mais o segundo filho adotivo do que ele. De repente – como se após a difícil escalada da montanha pudesse usufruir feliz e silenciosamente a chegada ao topo, como se a hora da verdade tivesse chegado –, abraçou a mãe com lágrimas nos olhos brilhantes e tentou falar conosco a respeito do motivo pelo qual as pessoas se abraçam, permitindo que o amor cresça. O "caçador de fianças" *Heiko* não se defendeu contra a mãe durante o abraço. Mas aproveitou a oportunidade para sair do vale de seus medos, para expressar seu ciúme contra o mais forte, para chorar sua dor e, finalmente, para poder encarar suas fraquezas e sobretudo reatar a ligação com a mãe adotiva, que até então não conseguira expressar. Para *Martina*, o confronto com sua tristeza e seu ciúme demorou apenas cerca de meia hora, mas exigiu por mais três horas o forte abraço, como se não estivesse saciada. Aconchegada ao corpo da mãe, adormeceu feliz.

• O terapeuta cuida para que a terapia do abraço adotada na família *não degenere em medida educacional*, por exemplo em castigo. A meta do processo do abraço não é acalmar a criança, mas proporcionar-lhe alegria na relação com a mãe e consigo mesma, é fazer com que se sinta satisfeita e mostre "o brilho nos olhos". O terapeuta cuida também para que *surja uma boa educação com base na relação renovada.* A criança necessita do apoio não apenas na esteira durante a situação terapêutica, mas também de forma segura no cotidiano (caso contrário, o abraço seria uma farsa!). Deve-se buscar uma educação baseada no exemplo dos pais, na manutenção conseqüente das regras, porém, respeitando o ego da criança e almejando seu desprendimento. A regra geral desse estilo educacional diz: as mesmas regras que os pais impõem à criança também são por eles respeitadas.

• Faz parte da *ética* do terapeuta do abraço saber que ele próprio está inserido em ordenações superiores e que a partir delas cria as forças psíquicas para seu apoio interior. Devido à sua *perspectiva completa*, enxerga não apenas a criança, mas também sua colocação nas leis da criação (etapas do crescimento, grandezas, ordens sistêmicas). A cada participante de um conflito deseja proporcionar o direito de manifestar todos os sentimentos adversos, para que o amor possa ser renovado. "O amor ao inimigo" como forma suprema de amor humano é a *base espiritual* dessa forma de abraçar e da terapia do abraço.

O abraço não é uma nova sabedoria. Sempre foi aplicado por pedagogos e psicólogos responsáveis e intuitivos, por exemplo por Pestalozzi em crianças com distúrbios de relacionamento[38]. Também na biografia de Milton Erickson, Haley[39] descreve como o famoso psicoterapeuta instruía uma mãe a segurar seu filho, "que tinha mais poder do que podia assimilar", até que ficasse acessível. Nos Estados Unidos, independentes um do outro, Zaslow e Martha Welch aplicaram o abraçar a princípio em crianças autistas, mas estenderam progressivamente sua utilização a outros casos. Uma fundamentação etnológica para o abraço foi mostrada por Tinbergen, que conquistou o prêmio Nobel, e é mérito seu que tenha sido espalhada pelo território de língua alemã. Dessa forma, eu também tive a oportunidade de adotar essa terapia.

Há opiniões divergentes quanto ao abraço. Alguns temem que ele possa ser usado de forma abusiva, a fim de quebrar a personalidade. Essas oposições são, na maioria das vezes, expressão de medos infantis próprios, por exemplo, quando essa forma de ser segurado foi vivenciada apenas em castigos corporais, e não de forma amorosa. Trata-se, contudo, exatamente do contrário: quanto mais amorosamente uma pessoa sentiu-se segurada quando criança, mais apta estará para segurar seu próprio filho, com base na segurança do sentimento remanescente do ter sido segurado.

A partir da biografia de uma pessoa, pode-se, em muitos casos, deduzir sua opinião sobre o abraço, e vice-versa. Se pensarmos como era malvisto na gera-

---

38. Cf. F. Schorer: "Autismus", *in*: *Neue Zürcher Zeitung*, 96/1986.
39. J. Haley: *Die Psychotherapie Milton Ericksons*, Munique, 1978.

ção dos atuais pais e avós manifestar livremente seus sentimentos em contato físico próximo, não é de espantar que a terapia do abraço seja tão discutida.

Há alguns anos, o clamor por terapias de apoio, portanto também pela terapia do abraço, está se tornando cada vez mais intenso porque os filhos dos pais educados autoritariamente caíram no outro extremo. O abraço já é, portanto, aplicado pelas mais diversas correntes terapêuticas, desde a terapia comportamental clássica até os processos com direcionamento esotérico. Durante anos, opus-me a autorizar a difusão do abraço descrita neste livro com o meu nome. Faço-o hoje por ter se tornado necessária uma delimitação de outras formas similares.

O abraço orientado para a terapia comportamental, denominado "terapia do abraço modificada", segundo U. Rohmann, ou "treinamento interacional relativo ao corpo", segundo F. Jansen, é simplesmente um método de condicionamento, que utiliza o abraço como estímulo de castigo, a fim de induzir a criança a se desacostumar de suas manifestações emocionais de aversão e de treiná-la à adaptação (a criança é segurada enquanto grita; é solta apenas quando pára). Esses métodos encontram-se em total contradição ao *holding*, segundo M. Welch, e à terapia do abraço dela derivada, segundo J. Prekop. Esses dois últimos métodos tratam, a princípio, da reabilitação do vínculo com a permissão dos sentimentos de aversão e sua transformação na segurança do amor incondicional. A terapia do abraço, de J. Prekop, diferencia-se do *holding* pelo seu destaque da totalidade, isto é, apoiando-se em leis da criação, em ordens sistêmicas e no respeito a todos os participantes do processo, portanto, pela sua espiritualidade.

Demais auxílios terapêuticos

O detalhamento da minha apresentação da terapia do abraço não deve levar à conclusão de que não valorizo outras medidas terapêuticas. Apóio o abraço porque pude certificar-me de sua eficácia. Foi necessário apresentá-la porque, em relação à tirania infantil, nunca foi descrita.

Somente depois que esse auxílio fundamental começar a dar resultado, na medida em que a criança, dentro da relação renovada, estiver disposta a abrir-se a outros auxílios terapêuticos e reconhecer sua necessidade, estes ganham seu importante significado. Não será mais necessário, portanto, buscar as causas mais profundas e chegar às raízes da doença, pois isso foi possível por meio do abraço. Todavia, os auto-reconhecimentos mais profundos e que conduzem a novos caminhos na qualidade das relações podem ser melhor trabalhados com o auxílio do psicodrama e da terapia da forma. Em alguns casos, são muito mais os pais do que os filhos que necessitam de um auxílio individual, de psicologia analítica, especialmente quando, por meio de uma espécie de amor-e-ódio ao filho, afloram medos próprios, antes escondidos.

A princípio, é importante que a criança seja conduzida a reconhecer suas próprias capacidades e fraquezas, a fim de poder fazer uma comparação realista com os outros e, a partir dela, deduzir seu próprio sentimento de valor. Deve exercitar novas expectativas e disposições sociais, bem como o comportamento social correspondente. Do amplo leque de ofertas de bons *processos de treinamento orientados para a terapia ocupacional e de dinâmicas de grupo*, indico apenas quatro:

– a terapia da realidade, de William Glasser;
– a conferência familiar, de Thomas Gordon;
– o treinamento com crianças agressivas, de Franz e Ulrike Petermann;
– o estímulo psicomotor do desenvolvimento, segundo Ernst J. Kiphard.

O denominador comum vantajoso desses processos baseia-se no "bom senso do indivíduo". Estão relacionados à prática e podem ser executados não apenas por especialistas com formação psicoterapêutica, mas também por pedagogos e, em casos mais simples, também pelos pais.

Além disso, em todos eles, os autores fazem com que as crianças reconheçam seus problemas com a realidade social sem dificuldade e aprendam a lição adequada. Além disso, a criança deve aprender, entre outros, a assumir a responsabilidade de seus atos. No treinamento de Petermann, as crianças estudam, com o auxílio de brincadeiras de detetive, distúrbios comportamentais próprios, vivenciam-nas em jogos de distribuição de papéis, procuram por modificações e propõem-se a concretizá-las, tendo como ajuda para tanto uma mistura multicolorida de medidas de exercícios em forma de jogos interativos, análises de filmes de vídeo, conversas individuais e em grupo.

De forma semelhante, também no treinamento segundo Glasser, o procedimento sucede de acordo com um plano evidente e controlável. Como condição indispensável para que o terapeuta auxilie a adaptar o plano a metas reais e a torná-lo exeqüível, vale a decisão inequívoca da criança sobre o fato de ela mesma considerar seu comportamento inadequado e querer realmente desistir dele.

A conferência familiar, segundo Gordon, tem a vantagem da intervenção direta "no local", sem a necessidade de transmitir a motivação por intermédio de outros meios. Dentro da família, a criança tem uma chance democrática de recuperar para si a reação dos outros e também a ajuda destes. A mesma chance é dada também aos pais e aos irmãos.

Diferentemente desses três processos, que pressupõem que a criança possua um nível relativamente elevado de raciocínio lógico e de linguagem, o estímulo psicomotor do desenvolvimento, segundo Kiphard, pode ser aplicado também em crianças menos dotadas e até em deficientes mentais. Por meio da percepção, aprende-se a considerar o próximo, a ajudar a si mesmo, a esperar, entre outros.

A condição primeira para um recomeço da criança reside, todavia, na aceitação dos pais. Se a perda do poder da criança ocorreu fora da casa dos pais, antes ainda de os mesmos terem reconhecido os sinais de alarme da tirania, deve-se esperar uma crise bem mais grave. Na coragem dos pais de se livrar de ilusões e de assumir a responsabilidade está ancorada a esperança para o pequeno tirano. O que lhe desejamos é que ele desista da tirania para poder finalmente ser uma criança livre e feliz.

Índice bibliográfico

Adler, A.: *Problems of Neurosis. A Book of Case Histories.* Londres, 1929.

Adler, A.: *Werke.* Frankfurt, 1970 ss.

Ainsworth, M.: Attachment and Dependency. A Comparison. *In*: *Attachment and Dependency.* Ed. J. L. Gewirtz. Washington D.C.: Winston 1972.

Ainsworth, M./B. Blehar/E. Waters/S. Wallis: *Patterns of Attachment. A Pshychological Study of The Strange Situation.* Hillsdale/Nova Jersey: Erlbaum, 1978.

Balint, M.: *Die Unformen der Liebe und die Technik der Psychoanalyse.* Berna, Stuttgart, 1966.

Biermann, G.: *Kinder und Jugendliche. Entwicklung – Entwicklungsstörungen. Psychohygienische Konsequenzen.* Frankfurt, 1985.

Bindungen und Besitzdenken beim Kleinkind. *Herausgegeben von Ch. Eggers.* Munique, Viena, Baltimore, [9]1984.

Blumenthal, E.: *Wege zur inneren Freiheit. Theorie und Praxis der Selbsterziehung.* Lucerna, Stuttgart, [9]1984.

Bowlby, J.: *Attachment and Loss.* Nova York: Basic Books, 1969.

Bürgin, D.: Über einige Aspekte der pränatalen Entwicklung. *In*: *Psychiatrie des Säuglings- und des frühen Kleinkindalters.* Ed. G. Nissen. Berna, Stuttgart, Viena, [2]1984.

Burchard, F.: Überlegungen zur Festhaltetherapie bei Kidnern mit frühkindlichem autistischem Syndrom. *In*: *Praxis der Kinderpsychologie und Kinderpsychiatrie*, 7/1984.

Burchard, F.: *Dreiteilige Beogachtungsstudie zur Praxis der Festhaltetherapie nach ein bis fünf Jahren.* Tese na Faculdade de Medicina da Universidade de Hamburgo, 1991.

Cermak, H.: *Die erste Kindheit. Ein ärztlicher Ratgeber für das 1. und 2. Lebensjahr.* Viena, 1982.

Condon, W. S./L. W. Sander: Neonate Movement is Synchronized with Adult Speech. Interactional Participation and Language Acquisition. *In: Science* 183.

Cube -Alshut, F. von: *Fordern statt verwöhnen.* Munique, 1986.

Diagnostisches und Statistisches Manual Psychischer Störungen. DSM III. Weinheim, Basiléia, 1984.

Dührsen, A.: *Heimkinder und Pflegekinder in ihrer Entwicklung.* Göttingen, [6]1977.

Eibl-Eibesfeldt, I.: Ursprung und soziale Funktion des Objektbesitzes. *In:* J. Bowlby: *Attachment and Loss.* Nova York: Basic Books, 1969.

Erikson, E. H.: *Identität und Lebenszyklus.* Frankfurt, 1976.

Freud, S.: *Gesammelte Werke.* Frankfurt, 1976 ss.

Fromm, E.: *Haben oder Sein. Die seelischen Grundlagen einer neuen Gesellschaft.* Munique, 1979.

Glück und Geseundheit durch Psychologie? Konzepte, Entwürfe, Utopien. Ed. P. Kaiser. Munique, 1986.

Goos, B.: Geburt ohne Gewalt – Sanfte Landung auf unserer Erde. *In:* S. Schindler: *Geburtseintritt in eine neue Welt.* Göttingen, 1982.

Gordon, Th.: *Familienkonferenz.* Reinbek, 1981.

Grof, S.: Geburt, *Tod und Transzendenz.* Munique, 1985.

Grothe, H.: Verwöhnt! Wenn Kinder zu Tyrannen werden. *In: Eltern,* 5/1986.

Gruen, A.: *Der Verrat am Selbst.* Munique, 1986.

Gruen, A./J. Prekop: Das Festhalten und die Problematik der Bindung im Autismus. Theoretische Betrachtungen. *In: Kinderpsychologie und Kinderpsychiatrie,* 7/1986.

Haley, J.: *Die Psychotherapie Milton Ericksons.* Munique, 1978.

Harlow, H. F./M. K. Harlow/S. J. Suomi: From Thought to Therapy; Lessons From a Primate Laboratoty. *In*: *American Scientist*, 59/1971.

Hassenstein, B.: *Verhaltensbiologie des Kindes*. Munique, [3]1980.

Hellbrügge, Th. G. Döring: *Die ersten Lebensjahre*. Munique, 1982.

Hellbrügge, Th.: Zur Problematik der Säuglings- und Kleinkinderfürsorge in Anstalten – Hospitalismus und Deprivation. *In*: *Handbuch der Kinderheilkunde* III. Herausgegeben von H. Optz und S. Schmidt. Berlim, Heidelberg, Nova York, 1966.

Hellinger, B.: *Ordnungen der Liebe. Ein Kursbuch*. Heidelberg, 1994.

Herzka, H. S.: *Das Kind von der Geburt bis zur Schule*. Zurique, [16]1984.

Hobmair, H./G. Treffer: *Individualpsychologie, Erziehung und Gesselschaft*. Munique, 1979.

Joffe, W. G./J. Sandler: Notes in Pain, Depression, and Individuation. *In*: *The Psychoanalytic Study of the Child, Bd. 20*. Nova York, 1965.

Kagan, J.: *Gehupft wie gesprungen. Ein Interview in "Psychologie heute"*, 12/1979.

Kiphard, E. J.: *Psychomotorische Entwicklungsförderung. Band 1: Motopädagogik*. Dortmund, [2]1984.

Kohut, H.: *Narzißmus*. Frankfurt, 1976.

Korner, A. F.: Maternal Rhythms and Waterbeds. A Form of Intervention With Premature Infants. *In*: *Origins of The Infants' Social Responsivenness*. Ed. E. V. Thoman, Hillsdale/Nova Jersey: Erlbaum, 1979.

Leboyer, F.: *Geburt ohne Gewalt*. Munique, [7]1992.

Lempp, R.: *Familie im Umbruch*, Munique, 1986.

Liedloff, J.: *Auf der Suche nach dem verlorenen Glück*. Munique, 1984.

Lorenz, K.: *Die acht Sünden der zivilisierten Menschheit*. Munique, [17]1984.

Louis, V.: *Einführung in die Individualpsychologie.* Berna, Stuttgart, [2]1975.

Lowen, A.: *Narzißmus.* Munique, 1984.

Mahler, M. S./F. Pine/A. B. Bergmann: *Die psychische Geburt des Menschen. Symbiose und Individuation.* Frankfurt, [2]1984.

Martinius, J.: Stereotypien. Beschreibung, Bedeutung, Behandlung aus ärztlicher Sicht. *In*: *Therapeutische Ansätze in Theorie und Praxis.* Bericht von der 6. Bundestagung des Bundesverbandes "Hilfe für das autistische Kind". Hamburgo, 1984.

Meves, Ch.: *Verhaltensstörungen bei Kindern.* Munique, [3]1980.

Meves, Ch.: *Manipulierte Maßlosigkeit.* Freiburg, [24]1983.

Michaelis, R.: Die Bedeutung der motorischen Entwicklung für die geistige Entwicklung des Kindes. *In*: *Wahrnehmungsübungen.* Ed. Fachverband des Diakonischen Werkes der EKD. Stuttgart, 1980.

Mitscherlich, M.: Die Bedeutung des Übergangsobjektes für die Entfaltung des Kindes. *In*: J. Bowlby: *Attachment and Loss.* Nova York: Basic Books, 1969.

Morris, D.: *Liebe geht durch die Haut.* Munique, 1975.

Muus, R. E.: Die Realitätstherapie von William Glasser. *In*: *Der Kinderarzt,* 17/1986.

Nohr, H.: Liebe und Geborgenheit bei Eltern. *In*: *Kindergesundheit,* 12/1986.

Otte, H. M.: *Ohnmächtige Eltern. Was Eltern verzweifelt macht und Kinder verunsichert – Ein Elternführerschein.* Dortmund, 1994.

Papoušek, M.: Wurzeln der kindlichen Bindung an Personen und Dinge. Die Rolle der integrativen Prozesse. *In*: J. Bowlby: *Attachment and Loss.* Nova York: Basic Books, 1969.

Papoušek, H./M. Papoušek: Die Rolle der sozialen Interaktionen in der psychischen Entwicklung und Pathogenese. *In*: *Psychiatrie des Säuglings- und des frühen*

Kleinkindalters. Ed. G. Nissen. Berna, Stuttgart, Viena, 1984.

Perceptual Processes as Prerequisites for a Complex Human Behavior. A Theoretical Model and its Application to Therapy. Ed. F. Affolter/E. Stricker. Berna, Stuttgart, Viena, 1966.

Petermann, U./F. Petermann: *Training Mit Aggressiven Kindern.* Munique, [2]1984.

Piaget, J.: *Das Erwachen der Intelligenz beim Kinde.* Stuttgart, [2]1973.

Portmann, A.: *Zoologie und das neue Bild des Menschen.* Hamburgo, 1956.

Postman, N.: *Wir amüsieren uns zu Tode.* Frankfurt, 1985.

Prekop, J.: Wir haben ein Kind angenommen. *In*: *Wir haben ein Kind angenommen.* Ed. Jacob-Lutz. Stuttgart, 1977.

Prekop, J.: *Hättest du mich festgehalten... Grundlagen und Anwendung der Festhalte-Therapie.* Munique, 1989.

Prekop, J./Schweizer, Ch.: *Kinder sind Gäste, die nach dem Weg fragen. Ein Elternbuch.* Munique, [8]1994.

Prekop, J./Schweizer, Ch.: *Unruhige Kinder. Ein Ratgeber für beunruhigte Eltern.* Munique, [3]1994. @LITTXT = *Psychiatrie des Säuglings- und des frühen Kleinkindalters.* Ed. G. Nissen. Berna, Stuttgart, Viena, [2]1984.

Rauh, H.: Frühe Kindheit. *In*: Oerter, R./L. Montada: *Entwicklungspsychologie. Ein Lehrbuch.* Munique, Viena, Baltimore, 1982.

Renggli, F.: *Angst und Geborgenheit.* Reinbek, 1976.

Saum, Th.: Arznei gegen Zappelei. *In*: *Psychologie heute,* 3/1986.

Schiefenhövel, W.: Bindung und Loslösung – Sozialisationspraktiken im Hochland von Neuguinea. *In*: J. Bowlby: *Attachement and Loss.* Nova York: Basic Books, 1969.

Schindler, S.: *Geburteintritt in eine neue Welt.* Göttingen, 1982.

Schmidbauer, W.: *Die hilflosen Helfer.* Reinbek, 1977.

Schorer, F.: Austimus. *In*: *Neue Zürcher Zeitung*, 96/1986.
Schweizer, Ch./Prekop, J.: *Was unsere Kinder unruhig macht... Ein elternratgeber: Aufklärung über Ursachen der Hyperaktivität, Empfehlungen zur Förderung der normalen Entwicklung*. Stuttgart, 1991.
Seligman, M. E. P.: *Erlernte Hilflosigkeit*. Munique, Viena, Baltimore, [3]1986.
Speck, O.: *Chaos und Autonomie in der Erziehung. Erziehungsschwierigkeiten unter moralischem Aspekt*. Munique, 1991.
Spitz, R.: *Die Entstehung der ersten Objektbeziehungen*. Stuttgart, [3]1973.
Statistiches Jahrbuch der Bundersrepublick Deutschland. Wiesbaden, 1982-84.
Strotzka, H.: *Macht*. Viena, Hamburgo, 1985.
Tinbergen, E. A./N. Tinbergen: *Autismus*. Berlim, Hamburgo, 1984.
Verny, T./I. Kelly: *Das Seelenleben des Ungeborenen*. Berlim, 1983.
Victor, G.: *The Ridlle of Autism*. Lexington: Lexington Books, 1983.
Vorgeburtliches Seelenleben. Herausgegeben von G. H. Graber und F. Kruse. Munique, 1973.
Weber, G. (org.): *Zweierlei Glück. Die systemische Psychotherapie Bert Hellingers*. Heidelberg, [4]1994.
Welch, M. G.: Heiling vom Autismus durch die Mutter-und-Kind-Haltetherapie. *In*: Tinbergen, E. A./N. Tinbergen: *Autismus*. Berlim, Hamburgo, 1984.
Welch, M. G.: *Die haltende Umarmung*. Munique, 1991.
Winnicott, D. W.: *Reifungsprozesse und fördernde Umwelt*. Frankfurt, 1984.
Winnicott, D. W.: Übergangsobjekte und Übergangsphänomene. *In*: *Psyche* 23/1969.
Zaslow, R. W.: Der Medusa Komplex. Die Psychopathologie der menschlichen Aggression im Rahmen der Attachment-Theorie. *In*: *Zeitschrift für klinische Psychologie und Psychotherapie*, 2/1982.

Todos os que desejarem maiores informações sobre a terapia do abraço podem se dirigir a:

Gesellschaft zur Förderung
des Festhaltens als Lebensform
und Therapie e. V.
Annette Wolf
Griesweg 5
88319 Aitrach

Cromosete
Gráfica e editora ltda.

Impressão e acabamento.
Rua Uhland, 307 - Vila Ema
03283-000 - São Paulo - SP
Tel./Fax: (011) 6104-1176
Email: cromosete@uol.com.br